賢く使いこなしたい人のための

Chromebook［クロームブック］スタートガイド

［第2版］

JN093576

秀和システム

■本書で使用しているパソコンについて

本書は、一般的なChromebookを想定し手順解説をしています。
使用している画面やプログラムの内容は、各メーカーの仕様により一部異なる場合があります。
各Chromebookの固有の機能については、取扱説明書をご参考ください。

■下記のChromebookをChromeOS 115〜116にて使用しました

・Lenovo ZA6F0038JP
・ASUS CM3000DVA-HT0019
他社製のChromebookを使用されている場合、掲載されている画面表示と違うことがありますが、操作手順については問題なく進めることができます。

はじめに

Chromebookってなに？

Chromebookでなにができるの？

Chromebookってどうやって操作するの？

本書は、このような疑問に答えるために企画されました。

Chromebook（クロームブック）は、Googleが開発したChrome OS（クロームオーエス）を搭載したIT端末です。

キーボードをもち一見するとノートパソコンですが、スマートフォンのアプリを使うことができます。またディスプレイを分離してタブレットとして使えるものもあります。

テレワークの拡大による働き方の変化、文部科学省推進の「GIGAスクール構想」に見られる学び方の変化など、さまざまなところで今、変化が求められています。

Chromebookがもつ変幻自在さは、そのような変化に対応できる端末として期待を集め、ユーザーを増やしてきました。

本書を手に取った方もChromebookに興味をもっているか、まさに使い始めるところかもしれません。

Chromebookは、WindowsやMacとも違う独自のOSを搭載し、初めて使うときは操作でとまどうところもあります。

そこで本書では、Chromebookの基本操作から、アプリの使い方まで、手順ごとにていねいに解説することを心がけました。ビデオ会議やドキュメント作成、ChatGPTを使用した時短テクニックなど、Chromebookをすぐにでも活用できることを目指しています。

本書がChromebookを使いこなすための一助となれば幸いです。

2023年10月　田中 拓也

CONTENTS

CONTENTS

Chromebookが どんなパソコンか知ろう

section 01

Chromebookがどんなパソコンか知ろう

安価で軽快な動作が魅力のChromebookは、学校でのICT教育の現場、テレワーク、外出・出張時のサブ機などとして、今や社会になくてはならないパソコンの1つになりました。ここではChromebookがどんなパソコンで、なぜこれほど普及したのかについて解説します。

Chromebookはどんなパソコン？

「Chromebook（クロームブック）」は、Google（グーグル）が開発・設計して複数のパソコンメーカーに提供している「ChromeOS（クロームオーエス。以下、ChromeOS）」を搭載したノートパソコンの総称です。Chromebookが登場したのは2011（平成23）年5月のことで、それからまだ10年あまりしか経っていませんが、30年あまりの歴史を誇るMicrosoft（マイクロソフト）の「Windows（ウィンドウズ）」搭載パソコンと比べ、動作が軽快で、かつ安価であったことから、生徒1人に1台の端末（パソコンやタブレット）が必要なICT（アイシーティー）教育を行う学校を中心に普及が進んでいます。

また2020（令和2）年以降、新型コロナウイルス感染症（COVID-19）対策でテレワークが推奨されたことも、Chromebookの普及に追い風がふきました。職場や家庭でメイン機として使われることはまだまだ少ないですが、ICT（情報通信技術）教育やテレワーク用、緊急用のサブ機としてChromebookは、なくてはならないものになりつつあります。

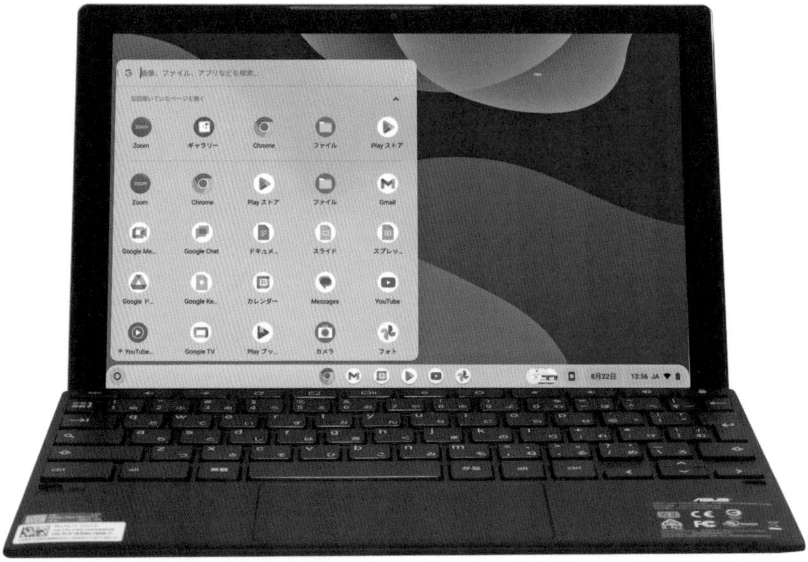

教育現場でChromebookが選ばれるわけ

文部科学省は2019（令和元）年、全国の学校で高速大容量の通信ネットワークと生徒1人に1台の端末（パソコンまたはタブレット）を整える「GIGA（ギガ）スクール構想」をスタートさせました。そして2022（令和4）年春にはほぼ全自治体で整備ずみとなり、一応の達成をみています。その原動力となったのが、文部科学省からでる4.5万円の補助金内で購入できたAppleのタブレット「iPad（アイパッド）」やChromebookでした。

もちろん、授業で活用している学校の割合や調べ学習時の使用状況などが都道府県や学校で差があったり、古くなった端末をいつ更新すべきかなど、解決すべき問題は少なくありません。とはいえ欧米諸国と比べて教育現場のIT（ICT）化が遅れていた平成時代からすると、大きな進歩といえるでしょう。

Chromebookは端末としては最後発でしたが、Googleが教育機関向けツール「Google for Education（グーグル・フォー・エディション）」を無償で提供したことも追い風となり、一気にシェアを伸ばしました。Google for Educationを使えば、教師と生徒間の情報伝達がよりスムーズとなり、また宿題（課題）を与えたり、その成果を管理することなどもできるようになります。これが予算がかぎられた教育現場では大きなメリットとして受け入れられ、2022年の調査では、OSのシェアではChromeOSがトップとなる4割を占めるまでになったとも報告されています。

GIGAスクール構想により全国の小・中・高校だけでなく、幼稚園や幼保連携型認定こども園、保育所でもICT化が進みました

section 02 Chromebookがあればこんなに便利！

　WindowsやMacは世界中で多くの人々に利用されてきたパソコンですが、これらとChromebookとはどこが大きく違うのでしょうか？　ここではChromebookの開発コンセプトを踏まえ、この違いについて解説します。

ChromebookとWindows、Macの違い

　ChromeOSを搭載したパソコンには、ノート型のChromebookと、液晶とデスクトップが一体となった「Chromebase（クロームベース）」があります。またChromebookも2〜4万円の安価な製品だけでなく、処理性能の高いCPUや高解像度のディスプレイ、複数の端子を備えた高性能・高価格帯の製品も登場してきました。ただいずれも、ネットにつなげた状態で使うことが前提となっています。そのカギとなるのが「クラウド」です。

　クラウドとはクラウドコンピューティングの略で、よく下のような図で表されます。雲の形をした部分がクラウドで、この中にはさまざまなハードやアプリが存在しますが、ユーザーはその全貌や中身を知る必要も、気にする必要もありません。使いたいときに、使いたいものを選んで使う、これがクラウドという概念です。

　WindowsやmacOSを搭載したパソコンはネットにつながっていない状態（これを「スタンドアローン」といいます）でもさまざまな用途で使用できますが、安価なChromebookでは使用が大幅に制限されます。Chromebookは高速なネットワークがあってこそ活きるパソコンなのです。

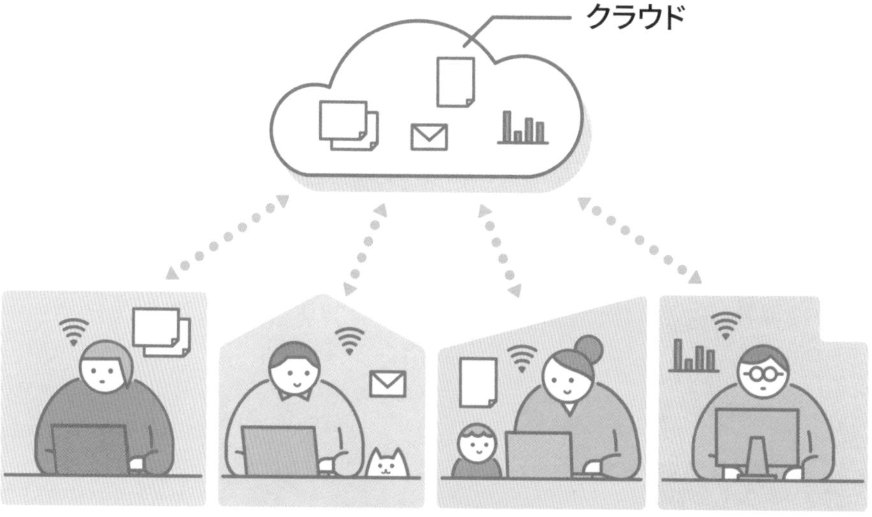

Chromebookがあればこんなに便利！

ネットに接続さえできれば、Chromebookはさまざまな目的で使用できます。子供がいる家庭では、小・中学校で行っているICT教育の予習や復習、サポートなどの目的が考えられます。安価という点を活かし、Chromebookに少しでも早く慣れるため自由に使わせるのもいいでしょう。ChromeOSには「ファミリーリンク」という子供のアカウントを管理するための機能がありますので、接続できるサイトや使用時間などを親が管理することができます。

家庭ではこのほかに、「YouTube」の動画をダラダラ視聴したり、「YouTube Music」で好きなアーティストの音楽を流し続けたりするための端末として使うという手もあります。この手の用途にはタブレットが適しているのですが、Chromebookでも十分代わりになります。

ビジネスパーソンの方であれば、外出時や出張・旅行専用ノートパソコンとしての目的が考えられます。WindowsやMacのノートパソコンをお使いの方の多くはさまざまなデータを本体に保存していると思いますが、万が一紛失してストレージからデータを抜きだされて流出させられれば大騒ぎになるでしょう。最悪、懲戒免職を覚悟しなければなりません。しかしChromebookはクラウド保存が基本ですから、パスワードまたはPINコードでログインする設定にさえしておけば、データの流出を高い確率で防ぐことができるので安心して使えます。

しかもChromebookには無料で使えるOfficeソフトが用意されていますので、新たにパッケージソフトを購入したり、「Microsoft 365」のようにサブスクリプション契約を結ぶ必要もありません。Microsoft 365や「Microsoft office」などで作成したドキュメントを読み込んで編集することができますので、代替ソフトとして十分役に立ちます。GoogleのOfficeソフトに慣れるのには少々時間がかかるでしょうが、メリットのほうが多いのは確かです。

●Googleドキュメント

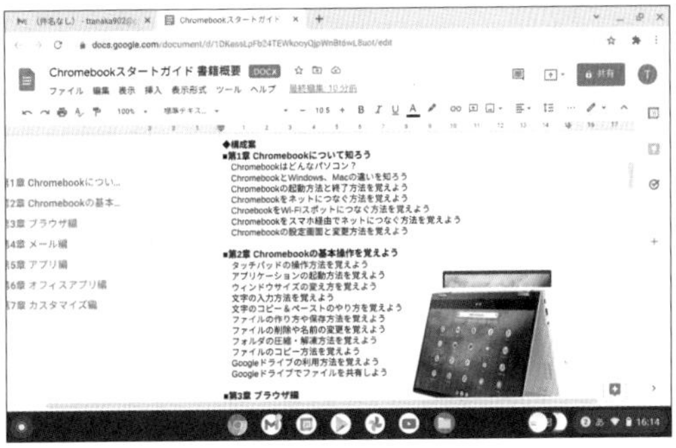

●Googleスプレッドシート

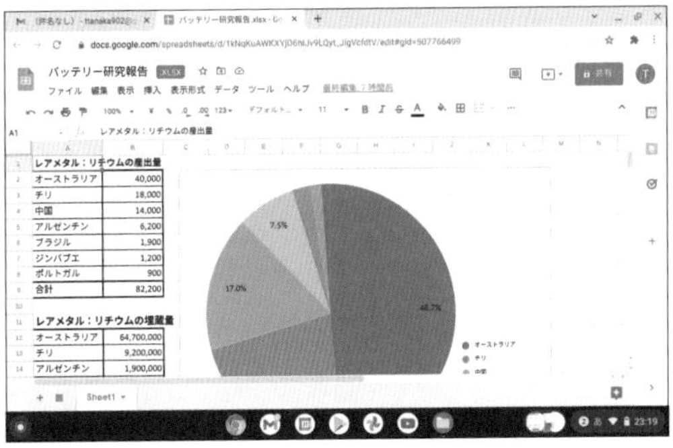

●Googleスライド

section 03

Chromebookでできること、できないこと

安価なChromebookは控えめな性能とはいえ、近年話題のChatGPTやBardといった生成AIも使うことができます。ここではChromebookの最近のアップデート情報を含め、なにができるのか・できないのかについて解説していきます。

進化するChromebook

ChromeOSはひんぱんにアップデートされ、新機能が追加され続けています。WindowsやmacOSがパッケージ販売のみだったころは、新機能の追加は次のバージョンが登場するのをただひたすら待つしかありませんでした。しかしインターネットが普及した現在、WindowsもmacOSもネットを介して新機能が追加されるようになっています。ただChromeOSに比べると、新機能の追加は控えめです。

たとえば2021年8月、ChromeOSの10周年を記念して発表された「ChromeOS 89」で追加された新機能「スマートフォン ハブ（Phone Hub）」は、Androidスマホの充電状態や電波状態、通知などをChromebook上で確認・操作できるようにする、ユーザーにとってメリットの大きなものでした。これはAppleが提供している「探す」機能に近いもので、家の中でAndroidスマホをどこに置いたかわからなくなったときなどに威力を発揮します。

さらにスマートフォン ハブはその後も改良が続けられ、2023年7月に公開された「ChromeOS 115」では、PDFに署名を追加したり、対応スマホはかぎられるもののアプリのストリーミングまでも可能にしました。

OSの機能が強化されChromebookがより便利になれば、使う楽しみも増えるわけですから、パソコンが趣味という方であれば、これだけでも購入する価値は十分あるといえるでしょう。

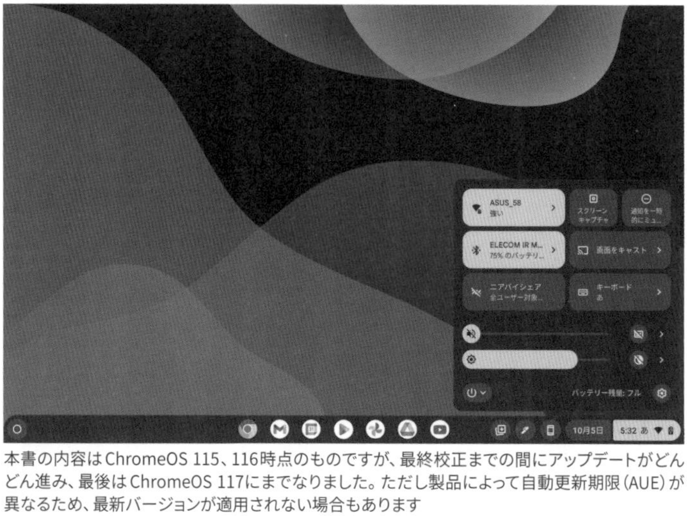

本書の内容はChromeOS 115、116時点のものですが、最終校正までの間にアップデートがどんどん進み、最後はChromeOS 117にまでなりました。ただし製品によって自動更新期限（AUE）が異なるため、最新バージョンが適用されない場合もあります

2023年10月、Chromebook Plus登場!

2023年10月2日、米Googleは以前から噂されていたChromebookの上位版となる「Chromebook Plus（クロームブック・プラス）」を発表しました。Chromebook Plusではハードウェア要件をChromebookより引き上げ、アプリやWebサービスのよりハイレベルな使用を可能としています。

Chromebook Plusのハードウェア要件は以下のとおりです。なおChromebookは、日本国内での普及実態にあわせGIGAスクール構想でのハードウェア要件を掲載しています（初期のChromebookはもっと低いスペックのものがあります）。

Chromebook Plusの発表にあわせ、台湾Acer（エイサー）、台湾ASUS（エイスース）、米HP（エイチピー：ヒューレット・パッカード）、中国Lenovo（レノボ）のパソコンメーカー4社から各2製品ずつ、計8製品が発売されます。ただ投入地域はアメリカ、カナダ、ヨーロッパとなっており、日本での投入時期は10月5日の時点では不明となっています。Chromebook Plusの価格は399ドルからと発表されていますが、円安が急激に進んでいる日本では、1ドル150円の単純計算で約6万円となりますから、海外ほどの割安感は感じられないかもしれません。

なお従来の機種でもハードウェア要件を満たした製品には、Chromebook Plusへのアップデートが提供されるようです。Chromebookのサポートページではアップグレード対象機種が20製品以上発表されており、初期投入地域での提供開始時期は10月17日とされています。

	Chromebook ※ＧＩＧＡスクール構想の仕様	Chromebook Plus
CPU	インテル Celeron 同等以上	インテル Core i3（第 12 世代） または AMD Ryzen3 7000 シリーズ以上
メモリ	4G バイト以上	8G バイト以上
ストレージ	32G バイト以上	128G バイト以上
ディスプレイ	9 ～ 14 インチ	フル HD（1920 × 1080 ピクセル） IPS ディスプレイ以上
Web カメラ	―	1080p 以上かつノイズ低減機能つき

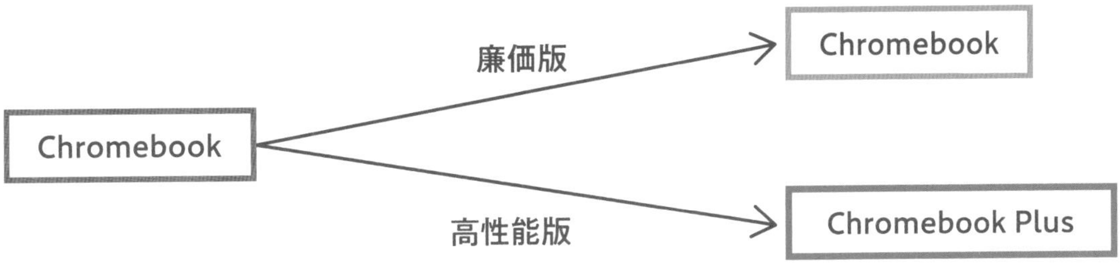

Chromebook Plusではさまざまな生成AIが使用可能に

Chromebook Plusが登場した背景の1つには、従来のChromebookでは近年の生成AIに対応できないことが挙げられます。本書で解説しているChatGPTやBardはともかく、イラストや画像の生成AIなどで利用に難があるのは事実でした。しかしChromebook Plusではこうした生成AIの利用も広がると、米Googleは発表しています。

Chromebook Plusの最初の投入地域では、Chromebook Plusを購入すると、米Adobe（アドビ）の画像処理「Adobe Photoshop Web（アドビ：フォトショップ・ウェブ）」とデザインツール「Adobe Express（アドビ・エクスプレス）」が3カ月無料で利用可能になるようです。AdobeはPhotoshopとシームレスに連携する生成AI「Adobe Firefly（アドビ・ファイアフライ）」を展開していますが、この生成AIの活用も進むことでしょう。Adobe Fireflyは同社のストックフォト「Adobe Stock」にある画像から、著作権者が許諾した画像、オープンライセンスの画像、著作権が切れた画像のみを使用して新たな画像を生成するAIサービスで、著作権絡みのトラブルを避けたい人にはオススメのサービスといえます。なおAdobe Fireflyは従来のChromebookでも使えますが、あまりに低スペックのChromebookだと実用に耐えない可能性があります。

そのほかChromebook Plusでは、ビデオ会議アプリや画像処理アプリなどの使用時に、より高度な機能が利用できるようです。たとえばGoogleフォトでは「Magic Eraser（マジック・イレーサー）」という機能の追加により、写真から不要な人物や物を削除することができるようになります。Chromebook Plusの日本の展開価格次第ではありますが、さまざまな生成AIを試したいと考えているのなら、時期を見計らってChromebookからChromebook Plusへの買い替えを検討してもいいかもしれません。

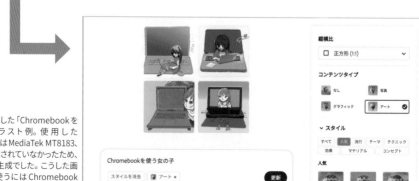

Adobe Fireflyで作成した「Chromebookを使う女の子」のイラスト例。使用したChromebookのCPUはMediaTek MT8183、メモリは4GBしか搭載されていなかったため、かなりゆっくりとした生成でした。こうした画像生成AIを快適に使うにはChromebook Plusでないと厳しいのは事実でしょう

ChromebookでChatGPTは使えるの？

2022（令和4）年11月、アメリカのOpenAI（オープンエーアイ）が生成AI（または生成的人工知能）の一種である「ChatGPT（チャットジーピーティー）」を公開し、その便利さが一般の人々に理解・浸透し始めると、欧米諸国で生成AIブームが沸き起こりました。さまざまな問題を含んでいるとはいえ、多くの企業が新たな生成AIの開発に力を入れている現在、このブームが一過性で終わることはないでしょう。Googleも2023（令和5）年3月から「Bard（バード）」という生成AIの提供を開始しており、同年5月からはBardを日本語にも対応させています。

生成AIのなかには動作させるのに高いスペックを要求するものもありますが、安価なChromebookでもChatGPTやBardは問題なく使えます。

またGoogleは、生成AIを組み込んだ「Google検索」新機能の試験運用を開始しています。海外ではすでに試験運用を行っていましたが、2023年8月30日には日本語版も開始。生成AIによる新たな検索体験（SGE：Search Generative Experienceの略）により、検索が進化するとGoogleは説明しており、本運用に期待がかかります。

なおBardやSGEはともかく、今後さまざまな生成AIを使いたいのであれば、2〜3万円の安価なChromebookではなく、3〜5万円ほど高くついても、高性能で拡張性が充実したChromebook Plusを選ぶ必要がでてくるかもしれません。

●ChatGPT

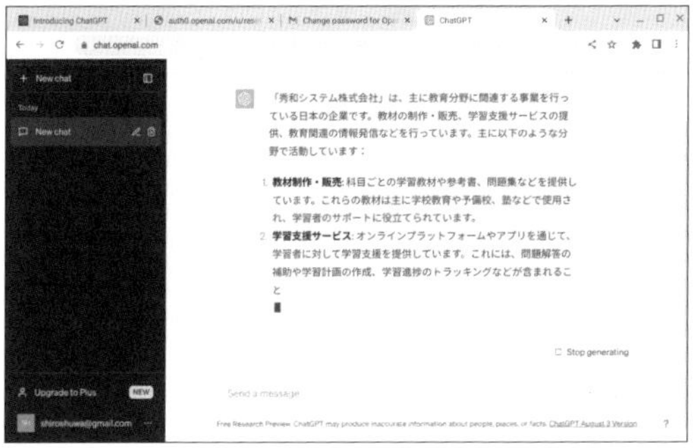

●Bard

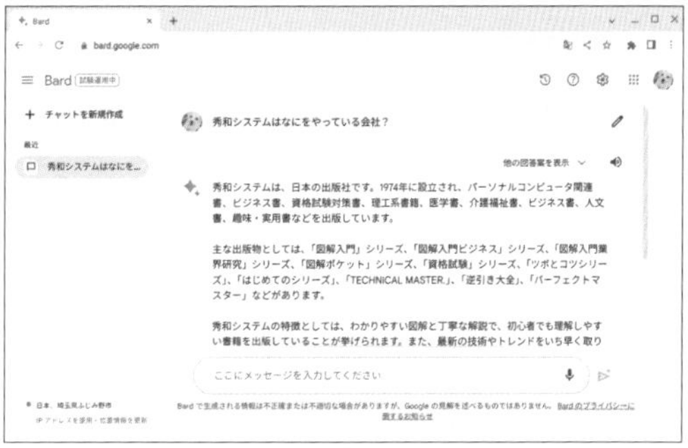

●Google検索（SGE）

2023年6月、ついにMinecraftも対応

ICT教育でも活用されることがあるものづくり人気ゲーム「Minecraft（マインクラフト）」ですが、2023年6月以前はChromebookでプレイすることができませんでした。6月7日にようやく正式対応し、Playストアから「Minecraft 統合版（Bedrock Edition）」を購入すれば、ChromebookでMinecraftを楽しむことができます。

もっともMinecraft公式から、過去3年間に発売された製品であれば快適に動作するというアナウンスがされていますから、2000年より前に発売された製品では少々厳しいかもしれません。また2023年8月の時点では、インストールに603MBの容量を必要としました。このためお使いのChromebookの空き容量を確認のうえ、購入する必要があります。

● マインクラフトChromeOS版

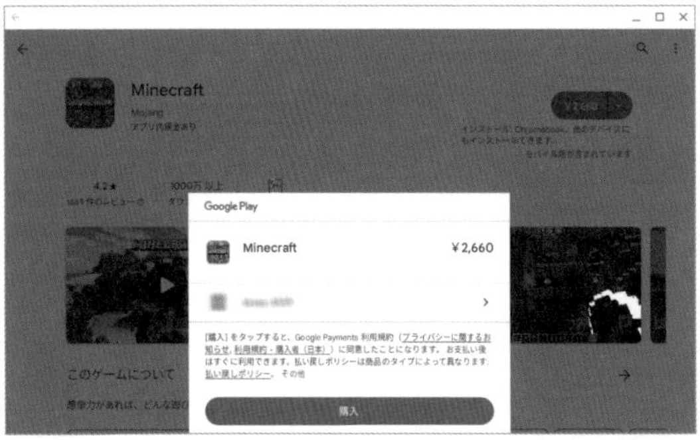

Playストアでは Android版（950円）とChromeOS版（2,660円）が販売されていて、前者はChromebookで動作しないので購入の際は価格を見て間違えないようにしてください

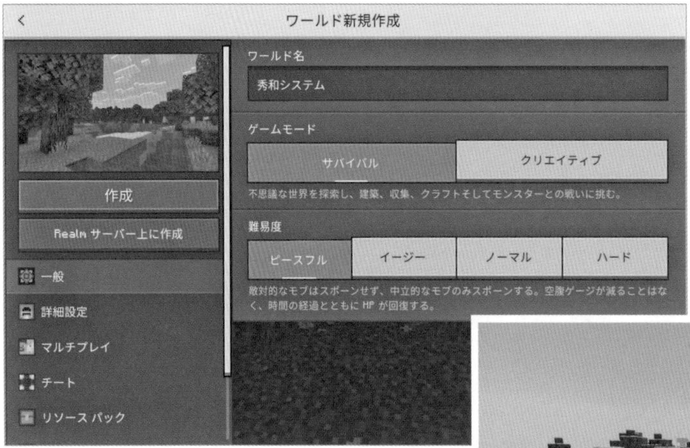

Chromebookが苦手なこと

撮影が趣味の方は、旅先で撮影したデータのバックアップ用にWindowsやmacOSを搭載したノートパソコンを持っていくことがあるかと思います。本体のストレージ（SSDやハードディスク）に余裕さえあれば、バックアップ作業は簡単なファイル操作だけで行えます。外付けの携帯ストレージを使う場合でも同様です。しかしChromebookでは、この単純な作業ですらかなり苦労します。

安価なChromebookでは、本体のストレージは必要最低限の容量となっています。軽いドキュメントファイルならともかく、撮影データのバックアップ用途には耐えられません。それどころかメモリカードを挿すためのスロットが用意されていない製品がほとんどなのです。このためどうするかというと、USB端子（USB TypeAやTypeC）にUSBハブをつなぎ、そこに外部ストレージやメモリカードリーダーをつなぐなどの環境を整える必要があります。しかもファイルのコピー操作はWindowsやmacOSほど洗練されたものではありませんから、いら立ちながらの作業になってしまうのは確実でしょう。通信キャリアのデータ使い放題プランに加入していれば、「Googleドライブ」にバックアップするという手もありますが、データが大量になるとかなりの時間がかかります。

これまで何度か述べたとおり、Chromebookの一番の魅力は、安価で、かつ軽快に動くこと。ハードに使おうとせず、ライトに使うことこそ、Chromebookを活かすコツなのです。

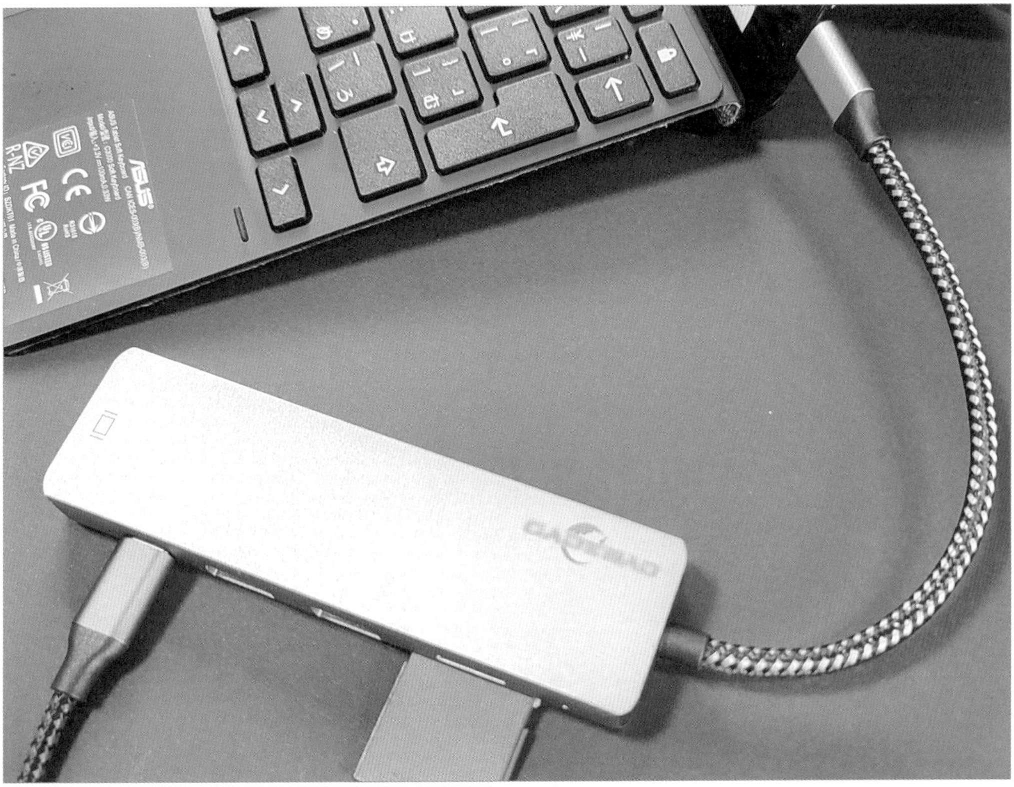

安価なChromebookでもUSBハブを使って拡張性を高めれば、WindowsやmacOSのノートパソコンに近い感覚で使用できるようになります。ただそのぶん余計に費用がかかりますので、割り切ってライトに使うほうが、Chromebookらしい使い方といえるでしょう

section 04

Chromebookをセットアップしよう

Chromebookのセットアップは、画面の説明どおりに行えば決して難しくありません。しかしいくつかとまどう箇所もあるかと思いますので、3つだけ解説しておきます。

● アカウントを設定する

Google アカウントは電話番号と紐づけられていますが、1つの電話番号で複数のアカウントを作成することができます。もちろん、既存のGoogle アカウントをそのまま使用してもかまいません。

● PINコードを設定する

PIN(ピン)コードは数字6桁の暗証番号のようなもので、Chromebook本体に格納され、英数字混じりのパスワードよりもすばやくログインすることができます。そのぶん、くれぐれも他人に知られないよう注意してください。

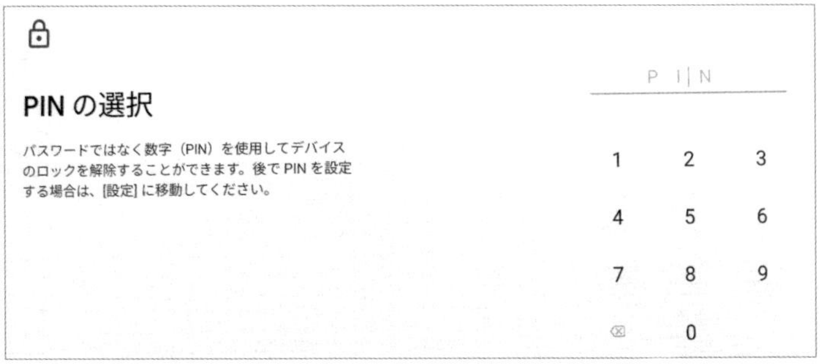

● ジェスチャーを始める

Chromebookのほとんどの製品はディスプレイがスマホと同じタッチパネルとなっていますので、指を使ったジェスチャーが可能です。少しずつ慣れていくといいでしょう。

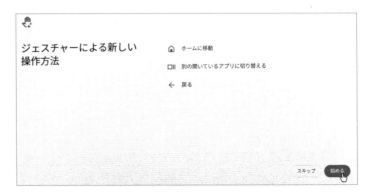

Chromebookを終了する

スマホで電源ボタンを押すとスタンバイモードに入るのと同じで、Chromebookもディスプレイを閉じれば自動でスタンバイモードに入ります。長時間使わないことがはっきりしているのであれば、画面右下の「ステータス領域ボックス」をクリックすると表示されるメニューから「電源マーク」をクリックするか、本体の電源ボタンを押したときに表示される「電源マーク」を押して電源を落としましょう。

● OS上から電源を落とす

● 電源ボタンから電源を落とす

MEMO
製品によって電源ボタンが別の場所に用意されている場合があります。

1 キーボードにある「電源ボタン」を長押しする

2 「電源マーク」をクリック

コラム

USB Type-Cでの充電はとても便利

安価でCPU性能を抑えたChromebookでは、多くの製品がUSB給電に対応しています。Windowsノートパソコンで専用ACアダプタが必要な製品は、この専用ACアダプタが壊れると充電ができなくなり、いずれ使うことができなくなります。しかしUSB給電が可能なChromebookであれば、Androidスマホと同じUSB Type-Cに対応した充電器とケーブルさえあれば充電できるので、外出時や出張時の負担が大幅に減ります。これもまたChromebookのメリットの1つです。

section 05

Chromebookの特殊キーを覚えよう

Chromebookのキーボード上段には「特殊キー」と呼ばれる、特別な操作を割り当てたキーが配置されています。Windowsパソコンでは「ファンクションキー」と呼ばれるもので、特殊キーを使いこなせばChromebookの操作・作業が格段に向上しますので、ぜひ覚えてください。

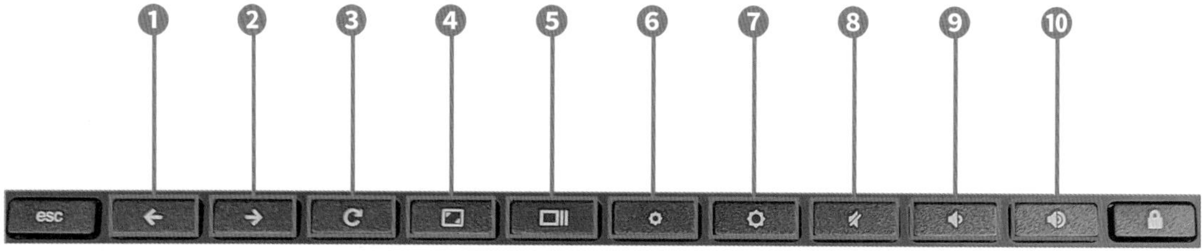

	基本操作	日本語入力時
❶	前のページに戻る	
❷	次のページに進む	
❸	情報を更新する	
❹	ウィンドウを全画面にする	
❺	ウィンドウをリスト表示する	
❻	ディスプレイの表示を暗くする	「ひらがな」に変換する
❼	ディスプレイの表示を明るくする	「カタカナ」に変換する
❽	ミュートにする（音を消す）	「半角カナ」に変換する
❾	音量を下げる	「全角英字」に変換する
❿	音量を上げる	「半角英字」に変換する

2 Chromebookの基本操作を覚えよう

section 01

デスクトップの構成と基本操作を知ろう

Chromebookでは紙のマニュアルが付属していない製品がほとんどです。そこでここではChromebookを賢く使いこなすために、デスクトップの各機能を把握することから始めていきます。

デスクトップの構成を把握する

macOSやWindowsの最新バージョンでは、標準状態ではデスクトップにアイコンを配置していません。Chromebookもこれは同様で、Windows10までしか使ったことのない方はまずこの感覚に慣れる必要があります。

MEMO

このデスクトップは2023年9月1日時点のもので、レイアウトはChromeOSのアップデートにより変更される可能性があります。

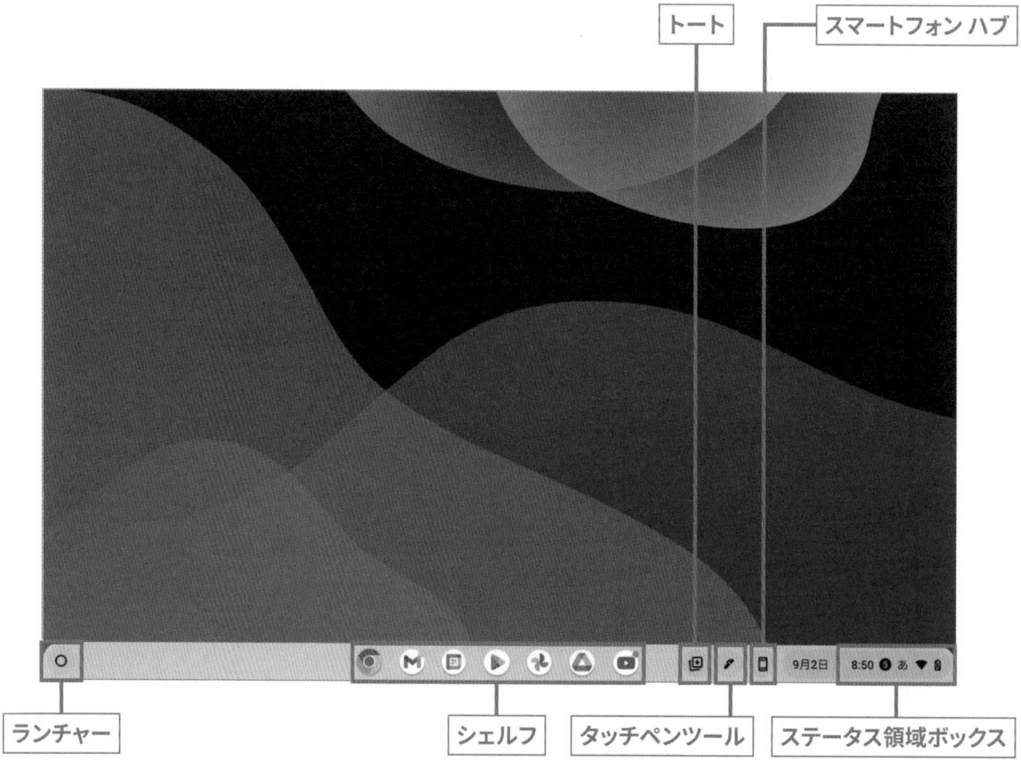

ランチャーの使い方を理解する

それではまず、なにか1つアプリを起動してみましょう。起動方法はいくつかありますが、ここではランチャーから起動する方法を見ていきます。

1 ランチャーを展開

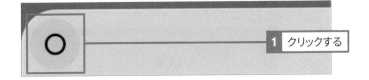

2 ランチャーからアプリを起動

アイコンをクリックするとアプリが起動します。またPlayストアからアプリをインストールすると、一番左上に追加されます。

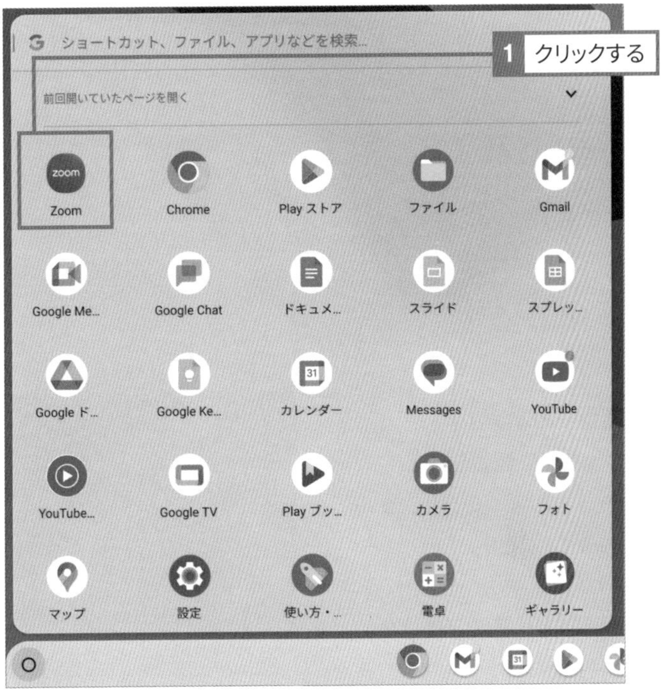

3 アイコンの位置を変更

アプリの並び順はドラッグ&ドロップで変更することができます。ひんぱんに使用するアプリをクリックしやすい位置に配置して操作性を向上させましょう。

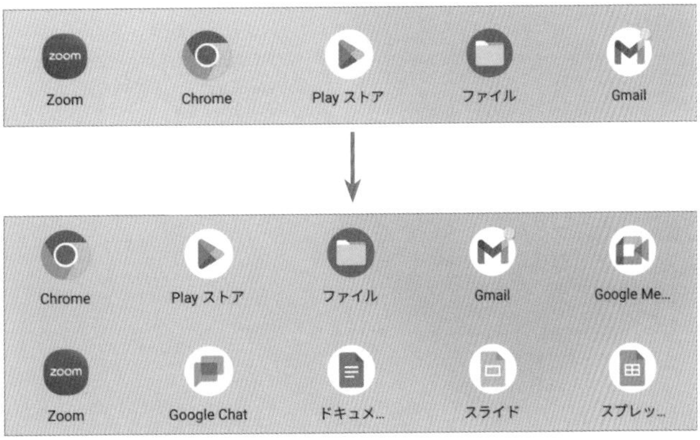

シェルフからアプリを起動する

アプリを起動するもう1つの方法が、シェルフを使う方法です。このシェルフにはよく使うアプリを追加しておくこともできます。これはWindowsのタスクバーと同じです。

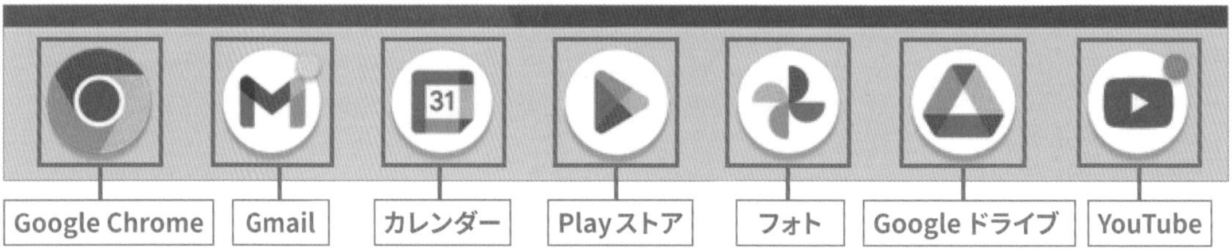

MEMO これ以外のアプリを起動している最中は、シェルフにそのアプリのアイコンが並びます。

1 使用中のアプリをシェルフに登録する

使用中のアプリをそのままシェルフに登録するには、右クリックメニューから「固定」をクリックします。これでシェルフにそのアプリが並びます。

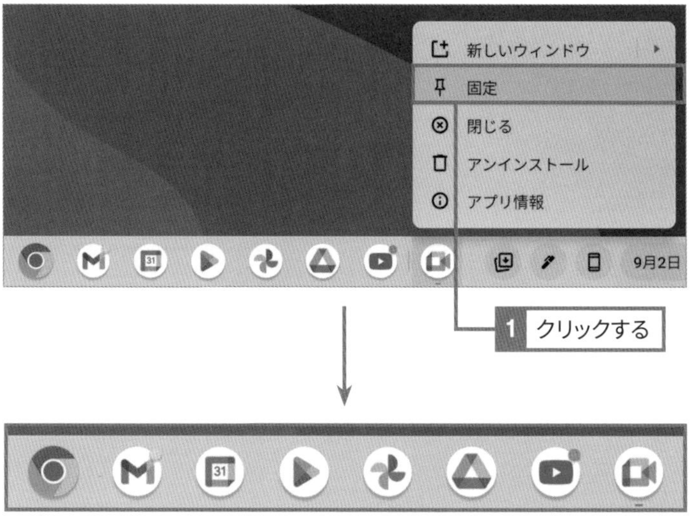

シェルフにアプリを登録する

シェルフにアプリを登録するには、ランチャーからドラッグ&ドロップするだけです。登録したあとも、ほかのアプリと入れ替えたり削除したりできますので、使用頻度が高そうなアプリを気楽に登録しておきましょう。

1 アプリをシェルフにドラッグ&ドロップする

ランチャーを展開し、登録したいアプリのアイコンをシェルフにドラッグ&ドロップします。

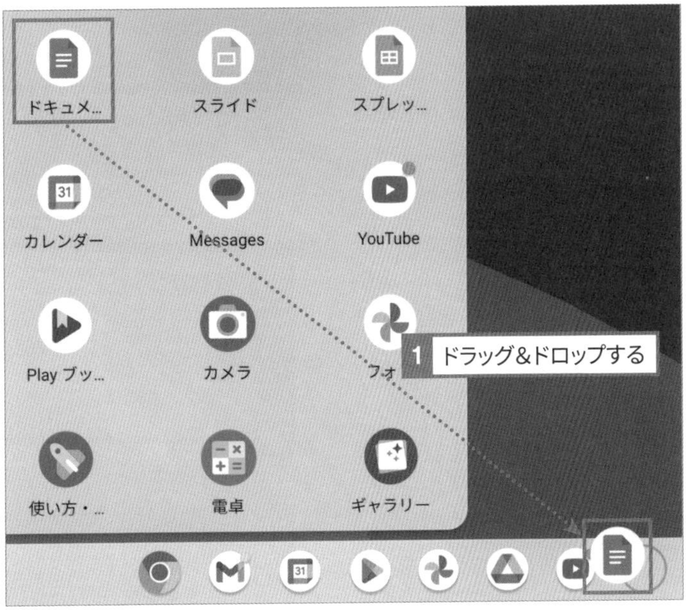

2 シェルフにアプリが追加される

3 ほかのアプリをシェルフに登録

トートからファイルを開く

WindowsやMacではデスクトップにファイルを置いておくことができますが、Chromebookではこれができません。その代わりに用意されている機能が「トート」です。このトートには最新のファイル、もしくは重要なファイルを3つまで表示しておくことができます。これをクリックすれば、各ファイルをスピーディーに開くことができるというわけです。

トートで最新のファイルを確認

Chromebookでは Ctrlキーと「ウィンドウを表示」キーを同時に押すことで全画面のスクリーンショットを撮ることができます。連続してスクリーンショットを撮るとそれが最新のファイルになっていくため、トートが次々と更新されるのがわかります。

MEMO

トートで右クリックすると「プレビューを表示」と「プレビューを非表示」を切り替えることができます。作業に応じて切り替えるといいでしょう。

スマートフォン ハブでスマホの状態を確認

Chromebookではスマートフォン ハブ経由でスマホの機能にアクセスすることができます。この機能を利用すると、Chromebookから電波や電池の状態を確認したり、消音モードにしたり、スマホを探すなどの操作が可能になります。

ステータス領域ボックスで設定を確認・変更する

Chromebookを賢く使いこなすためには、自分が使いやすいように「設定」を調整していく必要があります。設定はランチャーから起動することもできますが、もっとも手っ取り早いのはステータス領域ボックスから呼びだす方法です。

● 設定を確認する

ここではネットワークやBluetoothデバイス、接続されているスマホなどの確認、接続・切断、サイレントでは通知の有効・無効の切り替え、スクリーンキャプチャでは画面の録画などの操作が行えます。なお音量の調整やディスプレイの明るさは特殊キーでも行えますが、微調整したい場合はここで行うのが手っ取り早いです。

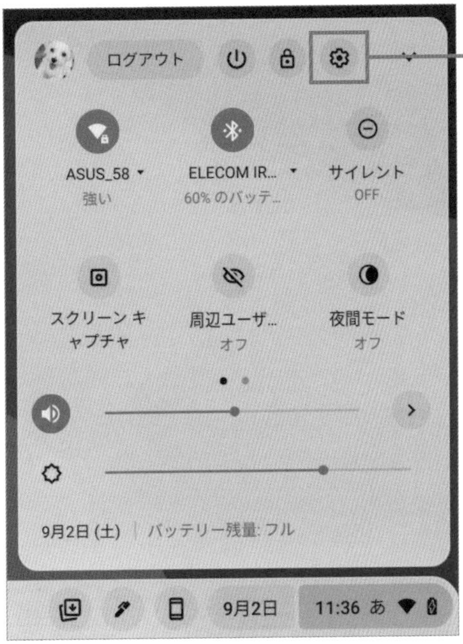

MEMO
ステータス領域ボックスの左に表示されている日付をクリックすれば、本体の簡易カレンダーが表示されます。

● 詳細な設定を行う

「設定」をクリックすれば、Chromebookの全般的、かつ詳細な設定が可能となります。

section 02

タッチパッドの基本操作を覚えよう

Chromebook にはWindowsやMacのノートパソコン同様、タッチパッドが搭載されています。ここでは覚えておきたい基本操作をいくつか紹介します。

タッチパッドの使い方を理解する

Chromebookを操作するには、

- **タッチパッドを利用する**
- **タッチスクリーンを利用する**
- **マウスを利用する**

の3つの方法があります。ただタッチスクリーンは対応製品のみにかぎられますし、マウスは別途購入する必要があります。仮にマウスを購入しても外出時に忘れてしまえばタッチパッドを利用せざるをえなくなりますので、最低限の基本操作は覚えておくとよいでしょう。

タッチパッドの上で指先を動かせば、ポインタが動きます。ここではもっとも基本的なクリックとドラッグ&ドロップのやり方を見てみましょう。

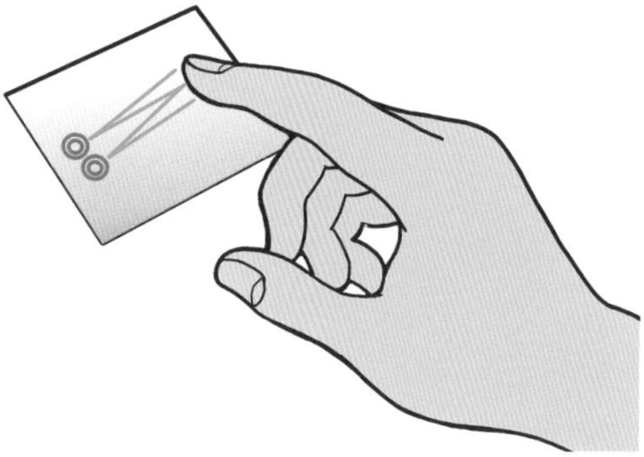

タップ／ダブルタップ

- アプリをタップし起動させる
- 対象ファイルをダブルタップし起動させる
- 画面をダブルタップすると、その画面の縮小化or最大化が可能

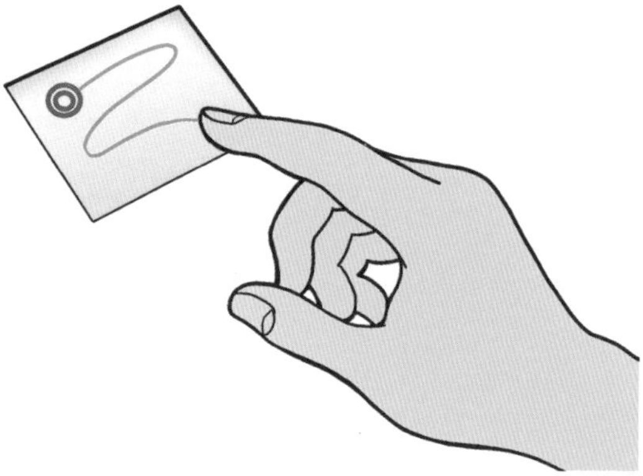

ドラッグ&ドロップ

- 画面をタップし、そのままスライドしたあと、指先をタッチパッドから離せばドロップされる

タッチパッドの基本操作を覚える

Googleが公表しているタッチパッドの基本操作から、特に重要なものを以下の表にまとめました。なおタッチパッドがうまく動作しない不具合に遭遇したら、Escキーを数回押すか、10秒間、指でタッチパッドを叩くと解消される場合があります。

動作	操作方法
ポインタを動かす	タッチパッド上で指先を動かします
クリック	タッチパッドの下半分を押すかタップします
右クリック	タッチパッドを2本の指で押すかタップします。またはAltキーを押したあと、1本の指でタッチパッドをタップします
ドラッグ&ドロップ	移動するアイテムを1本の指でクリックしたまま、希望の位置までドラッグしたあと、指を離します
スクロール	タッチパッドに2本の指を置き、縦にスクロールする場合は指を上または下に、横にスクロールする場合は指を左または右に動かします
ページ間を移動する	履歴の前のページに戻るには、2本の指で左にスワイプします。履歴の次のページに移動するには、2本の指で右にスワイプします
開いているウィンドウをすべて表示する	開いているウィンドウをすべて表示するには、3本の指で上にスワイプします。閉じるには、3本の指で下にスワイプします
タブを閉じる	目的のタブにカーソルをあわせてから、タッチパッドを3本の指でタップまたはクリックします
新しいタブでリンクを開く	目的のリンクにカーソルをあわせてから、タッチパッドを3本の指でタップまたはクリックします
タブを切り替える	ブラウザで複数のタブを開いている場合は、3本の指で左または右にスワイプします
概要を開く／閉じる	概要を開くには、3本の指で上にスワイプします。閉じるには、3本の指で下にスワイプします
仮想デスクを切り替える	複数の仮想デスクを開いている場合は、4本の指で左または右にスワイプします

section 03

マウスを使えるようにしよう

Chromebookでも WindowsやMacと同じように、マウスを接続して利用することができます。ここではBluetooth対応マウスの導入・認識方法について解説します。

Bluetooth対応を確認する

Chromebookでマウスを使うには、

- **Bluetooth対応マウスを導入する**
- **USB対応マウスを導入する**

の2つの方法があります。Chromebook本体に複数のUSBポートが用意されている場合は、後者を選択してもかまいません。Bluetooth対応製品で、USBポートが1つしか用意されていない場合は、前者を選択するのがよいでしょう。

Bluetoothではマウスだけでなく、ヘッドフォンやスピーカーなど最大7台まで同時に利用することができます。ただBluetooth対応のプリンターには対応していませんので注意してください。

Bluetooth対応マウスを追加する

Chromebookに Bluetooth 対応マウスを認識させるには、ペアリングという作業を行う必要があります。ペアリングとは Bluetooth 対応製品同士を認識させることで、Chromebookの設定では「ペア設定」と表示されています。

1 Bluetooth状態を確認

ペア設定を行うときは、Chromebookの「設定」にある「Bluetooth」を表示させた状態にしておきます。Chromebookの側にBluetooth対応マウスがあれば、自動でペア設定が始まります。

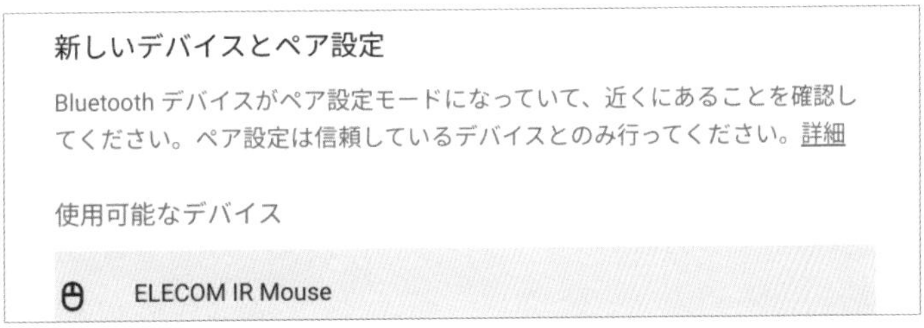

2 ペア設定完了

「ペア設定されていないデバイス」にマウス名が表示されない場合は、マウス本体のペアリングボタンを押してください。検出後、マウスが接続されます。

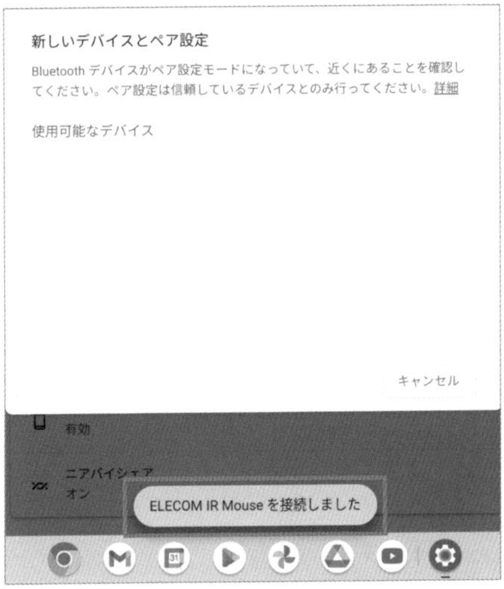

3 マウスの設定を変更

マウスの設定変更は「設定」の「Bluetooth」にある「マウスの設定を変更」か、同じ「設定」の「デバイス」にある「マウスとタッチパッド」から行います。なおマウスのペア設定を解除したい場合は、「設定」の「Bluetooth」からデバイスを「削除」してください。

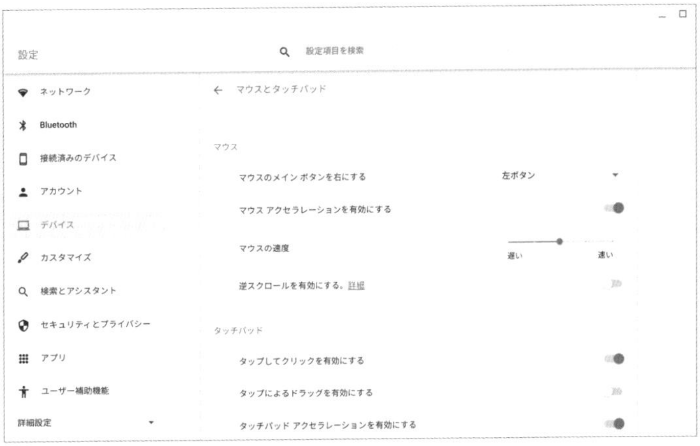

section 04

プリンターを使えるようにしよう

Chromebookとプリンターが同じWi-Fiネットワーク上にあれば、簡単にプリンターを追加することができます。ここでは追加方法と注意すべき点について解説しましょう。

プリンターを追加する

Chromebookにプリンターを接続するには、

- **Wi-Fiネットワーク経由で接続する**
- **USBケーブルで接続する**

の2つの方法があります。手っ取り早いのは前者の方法で、同じWi-Fiネットワーク上にChromebookとプリンターがあれば、追加から印刷までをケーブルレスで行うことができます。Chromebook本体にUSBポートが1つしかない場合は、給電対応のハブを別途用意しないと給電中の印刷ができませんので、基本的には前者で印刷するのがよいでしょう。

1 印刷とスキャンを表示させる

プリンターの追加は「設定」で行いますが、最初に「詳細設定」をクリックし、「印刷とスキャン」を表示させる必要があります。

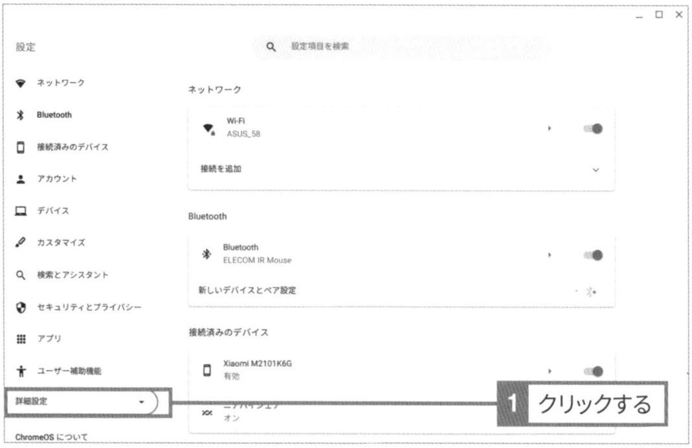

2 プリンタを追加する

「印刷とスキャン」から「プリンタ」をクリックします。

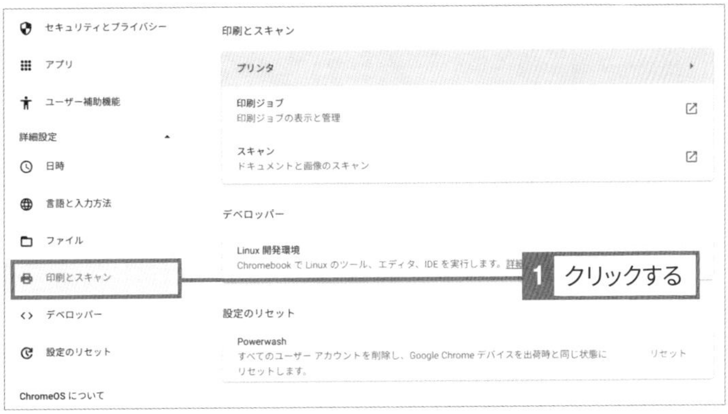

3 プリンターが追加される

Chromebookとプリンターが同じWi-Fiネットワーク上にあれば、たいていの場合はプリンターが自動で検出され、プリンター名が表示されます。

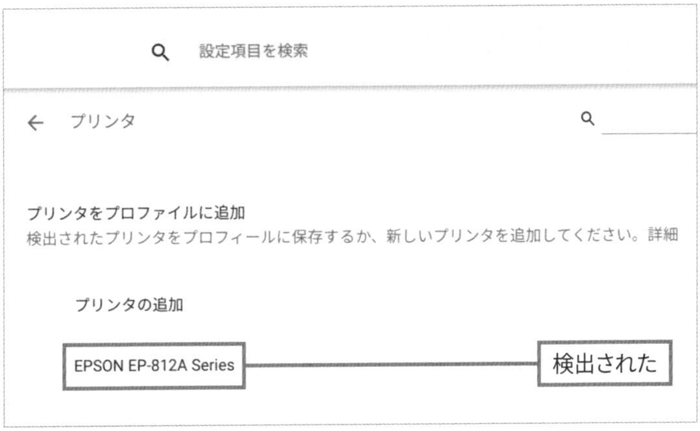

コラム

プリンターが表示されない場合

万が一、表示されない場合は手動で検索して追加することもできます。この場合「プリンタの追加」からIPアドレスは「.」を含め正確に入力する必要があります。それよりも一度、Chromebook本体のWi-Fiをオフにし、再度オンに戻したほうが検出できることが多いようです。

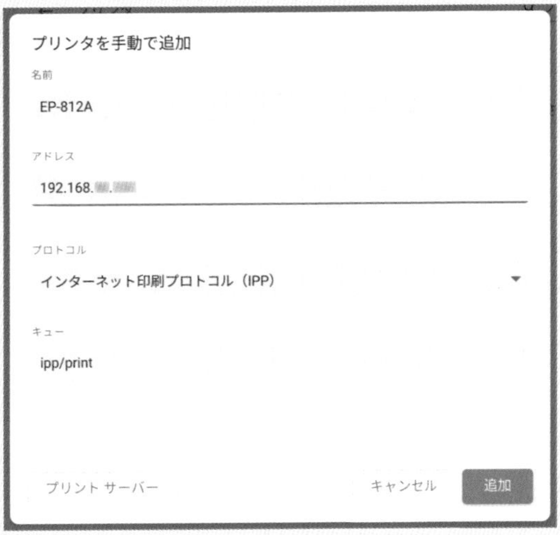

section 05

プリンターで写真を印刷してみよう

プリンターに接続したら、Googleドキュメントやスプレッドシート、スライドなどのアプリから印刷することができるようになります。ここではその方法を解説しましょう。

Googleドキュメントから印刷する

Chromebookでは標準で用意されているプリンタードライバーを使って、Googleドキュメントやスプレッドシート、スライドなどの各アプリから印刷することができます。またGoogleドライブでは写真をはがきやポストカードに印刷することもできますし、余白の調整や倍率を変更することも可能です。WindowsやMacで用意されているプリンター専用ドライバーではないので、より詳細な印刷設定やインクカートリッジの残量確認などはできませんが、普通に印刷するには困らないはずです。

1 印刷を実行

Googleドライブから開いた写真を印刷するには「⋮」をクリックし、開いたメニューの「印刷」を実行します。

2 必要に応じて送信先を変更

最初の印刷実行時、送信先が「PDFに保存」となっていたら「もっと見る」を選択し、プリンターに切り替える必要があります。

3 印刷する

ページの指定や部数、カラー（色）などの設定を確認・変更したら「印刷」をクリックします。

4 印刷を確認する

印刷が開始されたら画面右下にその旨が表示されます。

section 06

ファイルで写真や動画を見てみよう

Chromebook本体内およびクラウド内のファイルを管理する役割を担っているのが「ファイル」です。多くのファイル形式に対応し、写真や動画を閲覧したり、ほかのユーザーや別アカウントとでファイルを共有したりすることができます。

Chromebookで使用できるファイルとは

ChromebookはWindowsやMacと同様、さまざまなファイルに対応しています。これ以外のファイルに関しては、アプリを追加することで対応できるようになるものもあります。

ファイルの対応状況	
テキスト	txt
画像	jpg、jpeg、png、webp、gif、bmp
メディア	mp4、m4v、m4a、avi、mp3、3gp、mov、mkv、ogv、ogm、ogg、oga、webm、wav
Office関連	doc、docx、xls、xlsx、ppt、pptx
読み取り専用	pdf

使用できる容量を把握しよう

Chromebookでは、ファイルはおもに2つの方法で保存することができます。1つはChromebookの本体内のストレージ、もう1つはGoogleドライブです。ただカタログスペックにストレージ容量が128GBと書いてあっても、その一部をChromeOSが使用するため、実際に使える容量はこれより少なくなります。

また無料で使えるGoogleドライブの容量は1アカウントにつき15GBで、同じアカウントでパソコンやスマホからアクセスし、ドキュメントや写真の保存先に使用している場合は、15GBからそのぶんの容量がなくなります。

より多くの容量が必要であれば、有料の「Google One」を申し込む必要があり、安いほうから3つだけ紹介しておくと、価格は100GBだと月額250円、200GBだと月額380円、2TBだと月額1300円です。Google Oneの場合、最大5名のユーザーでその容量を共有することができるようになります。

Googleドライブの構成

1 「ファイル」を起動する

ランチャーから「ファイル」をクリックします。

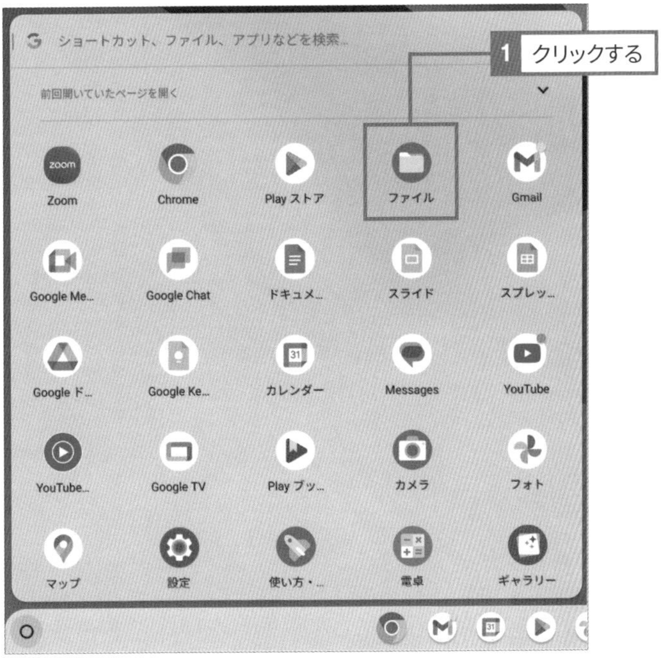

2 ファイルを確認

ファイルで「マイファイル」に表示されているファイルはChromebook本体内に、「Googleドライブ」に表示されているファイルはクラウド内に保存されているものです。また「マイドライブ内」には、ファイル管理のために作成したフォルダが表示されています。

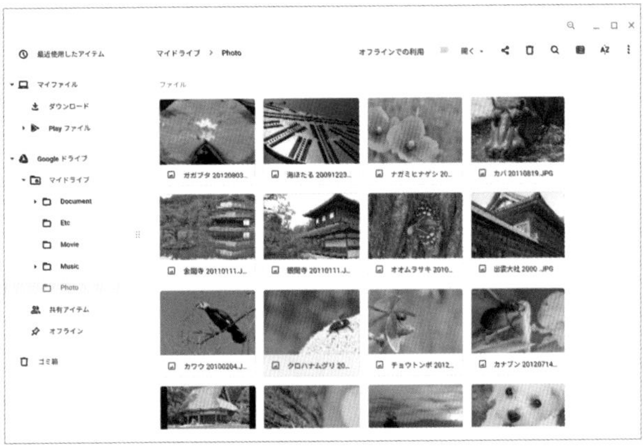

MEMO

Googleドライブはクラウド上に存在しているので、ネットに接続できない状態では表示することができません。ただファイルを選択し、「オフラインでの利用」をONにすれば、ファイルがChromebook本体内にコピーされ、ネットに接続していない状態でも閲覧することができるようになります。

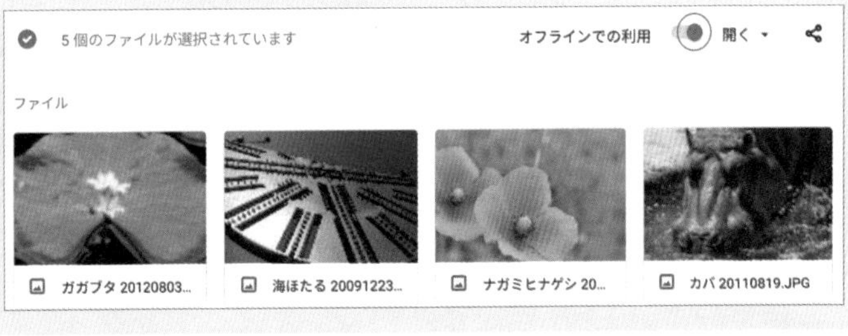

写真を閲覧する

1 ファイル表示を切り替え

「ファイル」ではファイルの表示方法を、「サムネイル表示」と「一覧」の2つから選択することができます。

2 写真を選択する

サムネイル表示のサイズは大きく、視認性に優れています。ここでファイルをクリックするとビューアが起動して拡大表示され、さらに色補正やサイズの変更、モノクロ化などの簡単な画像編集までも可能になります。

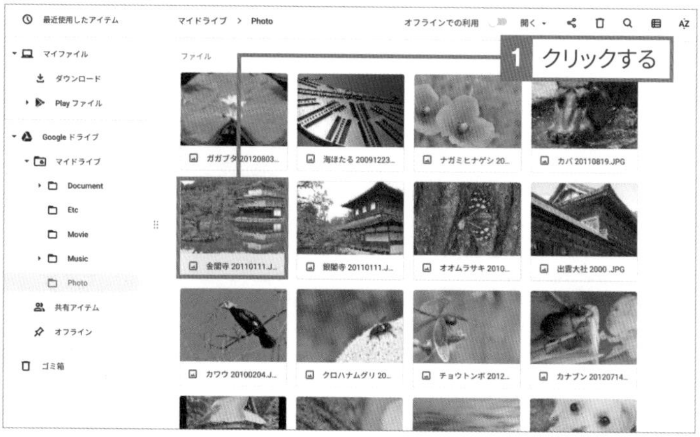

3 写真を確認・編集する

メールに写真を添付する場合、ファイルサイズの制限に引っかかることがあるので、簡単にサイズの変更ができるのは便利です。

動画を視聴する

1 動画を選択する

写真と違い動画では、ファイル形式によって再生できないことがかなりの頻度で起こります。またプレビューが表示されていても再生がいつまで経っても始まらない場合もあります（写真の場合はAVIファイル）。

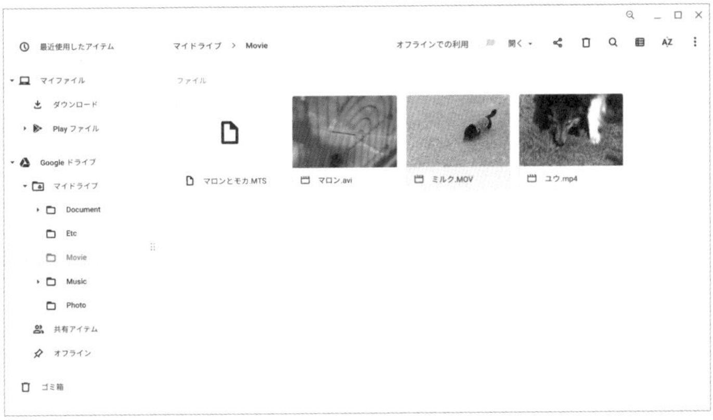

2 動画を視聴する

動画の再生機能はシンプルで、繰り返し再生などはできません。

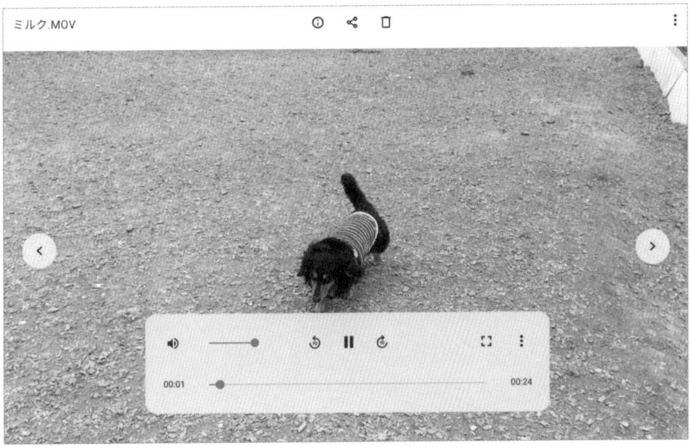

コラム

動画が再生できない場合の対応策

　Chromebookでさまざまな動画を視聴したいのであれば、別途アプリをインストールするのがオススメです。たとえば「VLC」というメディアプレイヤーであれば、Googleドライブで再生できなかったMTSファイルも再生できるようになります。

section 07 フォトで写真を共有して見てみよう

Chromebookには「フォト」というアプリがインストールされていますが、最初、このフォトを起動しても、Googleドライブや本体内の写真を見ることはできなかったのではないでしょうか。ここでは少しクセのあるフォトの使い方について解説します。

フォトの基本的な使い方を覚える

「フォト」はGoogleフォトの略で、Androidスマホをお使いの方なら、日々お世話になっているアプリかと思います。しかしAndroidスマホには「Files」というアプリもあり、こちらでも写真を閲覧し、動画を視聴できます。

この目的がかぶる2つのアプリがユーザーにいささかの混乱をもたらしているのは間違いないのですが、写真をほかのユーザーと自動的に共有して楽しみたい、という目的にはフォトが適しているので、ここではこの方法を解説します。

1 「ファイル」から写真を選択

ランチャーから「ファイル」を起動したあと、ほかのユーザーと共有したい写真を選択して「共有」をクリックし、そのなかから「フォト」を選びます。

2 写真をアップロード

共有したいユーザーのアカウントを指定したら、「アップロード」をクリックして実行します。

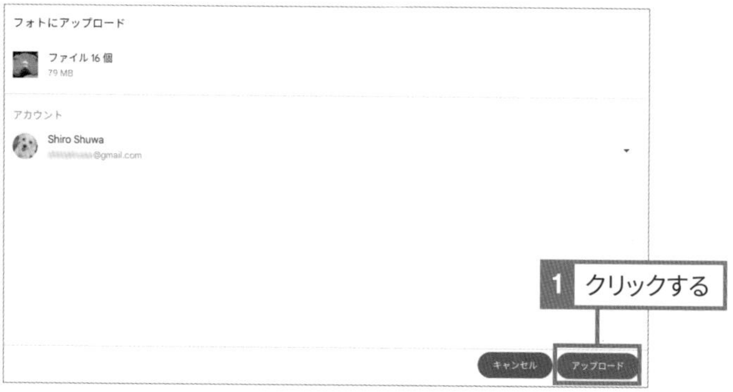

3 「フォト」で「共有アルバムを作成」

ランチャーから「フォト」をクリックし、ほかのユーザーと写真を共有するために「共有アルバムを作成」します。旅行が趣味の方はあらかじめ用意されている「旅行のアルバムを作成」、家族写真がおもな方は「ファミリーアルバムを作成」などを選べばいいでしょう。

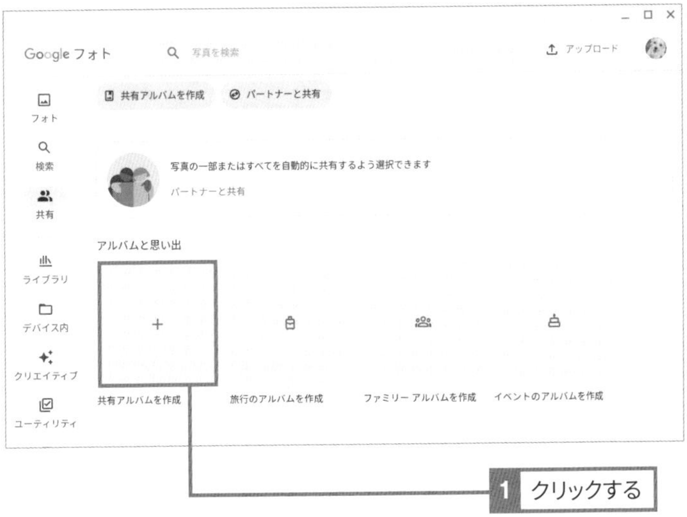

4 写真を選択する

アルバムの作成時は、ファイルでアップロードした写真をすべて共有する必要はありません。ほかのユーザーと共有したい写真を選択していきましょう。

5 ファイル共有を確認

これで撮影した写真をほかのユーザーと共有することができました。著作権などの必要に応じてクレジットを入れたり、写真のサイズを落とすなどの対応を考えましょう。

section 08

音楽を再生してみよう

CD/DVDドライブを搭載していないChromebookでは、音楽CDを直接再生することはできませんが、WindowsやMacでこれまでに取り込んだ音楽データを再生することはできます。ここでは「ギャラリー」を使って音楽データを再生する方法を解説します。

ギャラリーで音楽アルバムを再生する

「ギャラリー」は2022年に新たに追加された機能で、音楽データの再生だけでなく、画像やPDFの編集なども行えるメディアアプリですが、ここでは音楽データの再生のみ解説します。

1 「ギャラリー」を起動

ランチャーから「ギャラリー」アプリを起動します。

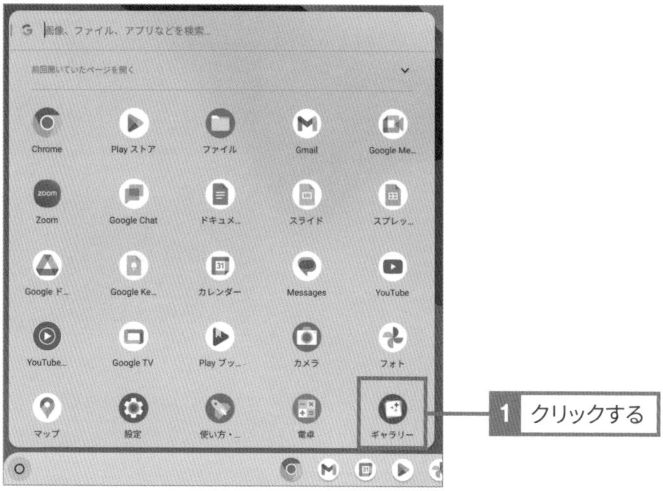

2 「オーディオの視聴」を実行

一番右の「オーディオの視聴」にある「オーディオを開く」をクリックします。

3 ファイルで音楽データを選択

「ファイル」アプリが自動で立ち上がるので、再生したい音楽データを選択し、「開く」をクリックします。

4 音楽データが再生される

これで音楽データが再生されます。ただし再生機能は最低限のものなので、物足りなければ別途、アプリをインストールすることを考えましょう。

コラム

より快適な音楽再生環境を構築するには

ギャラリーを無理に使うより、P.39で紹介した「VLC」などのメディアプレイヤーをPlayストアからインストールしたほうが、より快適な音楽再生環境を構築することができます。なおこうしたメディアプレイヤーは本体内のファイルを自動で検索してくれても、クラウド上のファイルまで対応していないものがほとんどです。このためファイルアプリであらかじめChromebook本体内に必要最低限の音楽データだけコピーしておく必要があります。

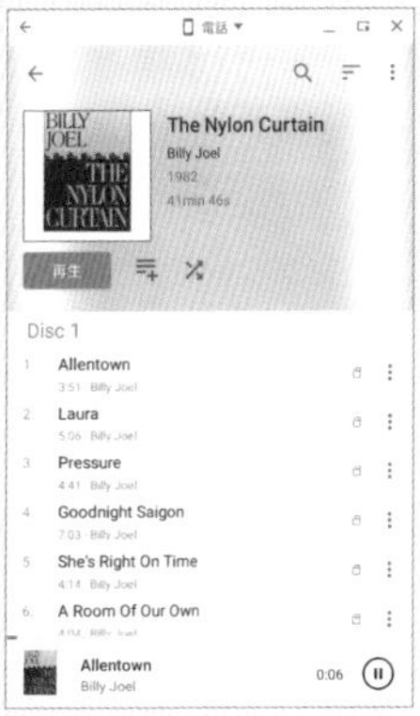

section 09

Playストアからアプリを探してインストールしよう

Chromebook（ChromeOS）の標準で用意されているアプリは機能的にシンプルなものが多く、このためChromebookで賢く使いこなすには、別途、Playストアから他社のアプリをインストールして機能強化を図る必要があります。

Playストアからアプリをインストールする

1 Playストアを起動する

シェルフまたはランチャーからPlayストアのアイコンをクリックしてPlayストアを起動させたら、「アプリとゲームを検索」とある検索窓にアプリ名やジャンルなどを入れて、必要なアプリを探します。

2 アプリをインストールする

レビューやダウンロード数を参考にお目当てのアプリを見つけたら「インストール」をクリックしましょう。

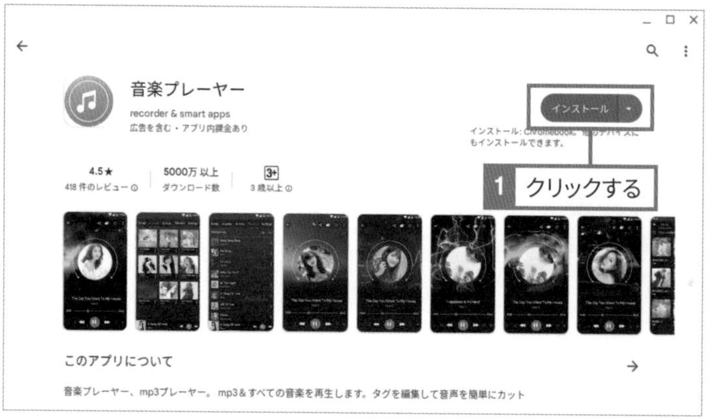

3 デバイスを選んでインストール

すでにスマホとの連動が行われている場合は、アプリをどちらにインストールするか指定する必要があります。

4 カードを追加する

Playストアから初めてアプリをインストールする場合、クレジットカードまたはPayPal（ペイパル）を追加する必要があります。基本的にクレジットカードで作業を進めていきましょう。

MEMO

PayPalは、世界で広く利用されているネットの決済サービスです。日本でもPlayStation StoreやDMM.COM、Hotels.com、ヤマダウェブコムなどで広く採用されており、無料で登録できますので、アカウントを取得しておくといいでしょう。

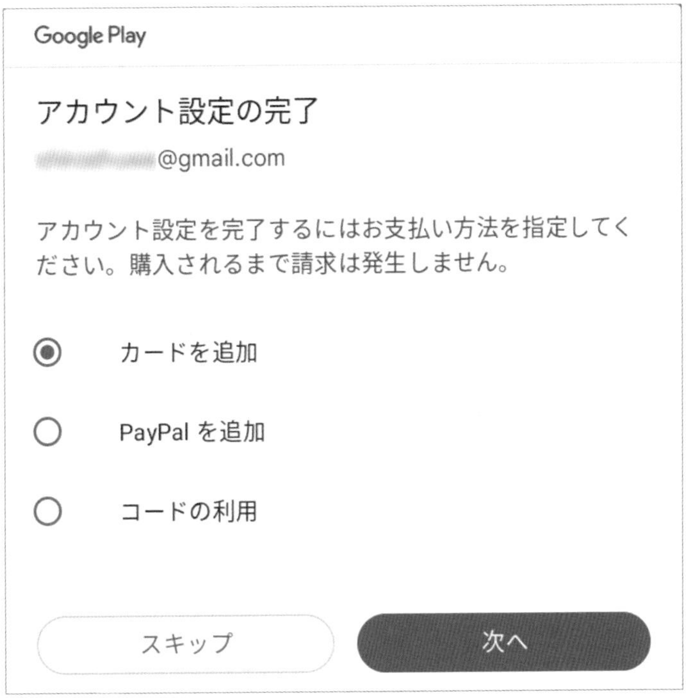

5 アクセスを許可する

アプリによっては、Chromebook本体内へのアクセス許可を求められる場合があります。アプリに問題がなさそうであれば「許可」をクリックしてください。

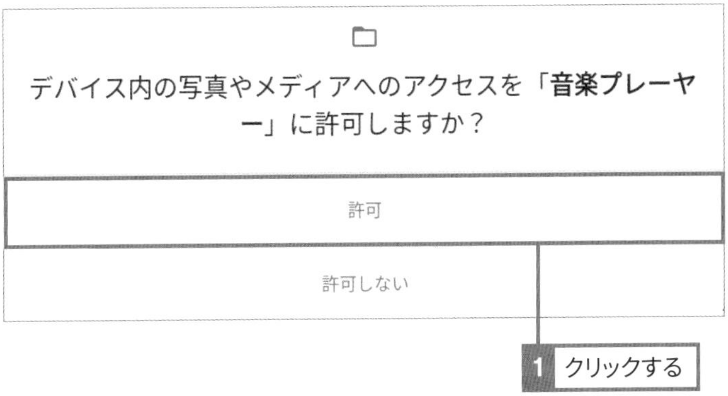

section 10

不要なアプリはアンインストールしよう

Chromebook本体のSSD容量が少ないChromebookでは、使用頻度が低いアプリはアンインストールするのが賢明です。アプリはいつでも最新のバージョンがインストールできますので、ちゅうちょする必要はありません。

アプリをアンインストールする

1 アプリのアイコンを右クリック

アンインストールするアプリが決まったら、ランチャーに登録されたアイコンを右クリックし、ショートカットメニューにある「アンインストール」をクリックします。

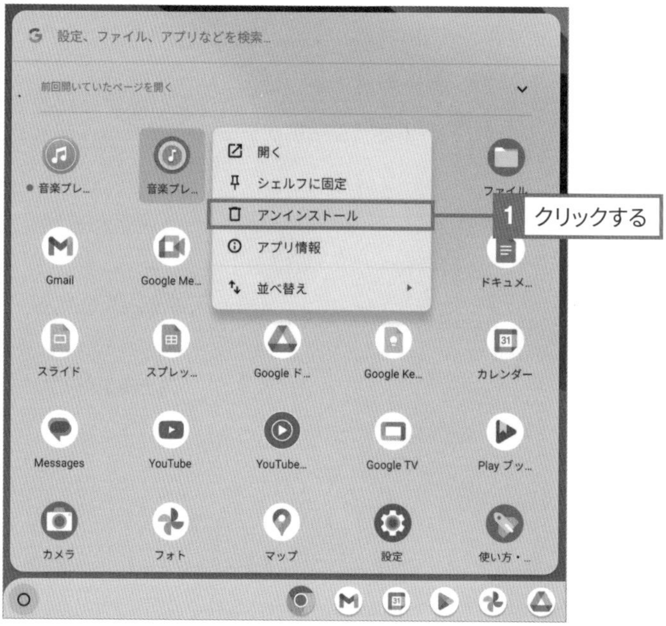

2 アンインストールする

アンインストール時、関連付けられているデータが削除されますという警告がでることがありますが、気にせず「アンインストール」を実行してかまいません。

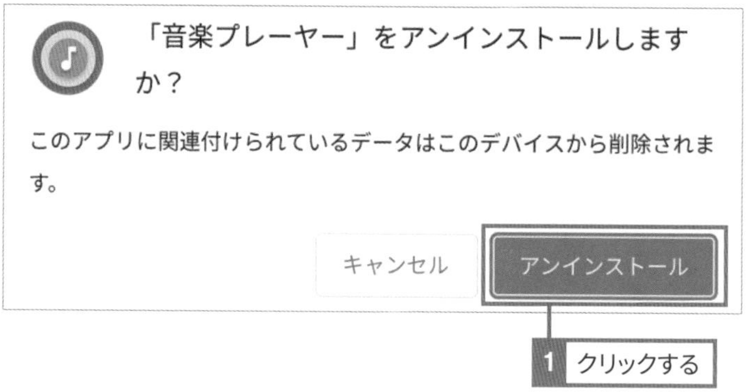

コラム

Playストアの大きな問題

Playストアでのアプリ説明は実のところ不正確で、本来は動作しないはずのアプリが“Chromebookでインストールできる”となっているものが少なくありません。ところが実際にインストールしてみると、まったく動作しないものもあります。

たとえば日本で大人気のスマホ用パズルゲーム『パズル&ドラゴンズ（以下、パズドラ）』では、インストールボタンの下に「インストール：Chromebook。他のデバイスにもインストールできます」と説明がありますが、実際にインストールした直後に「プレイ」をクリックしても、起動こそするものの、すぐにアプリが落ち、次に進むことができません（2023年9月2日時点）。パズドラの公式ではChromebookをサポートしているとはひと言も書いていないので、メーカーに責任はありません。Playストアの問題です。しかしこうした例は数えることができないレベルであります。

パズドラは基本プレイが無料のゲームですからアンインストールすればそれですむとはいえ、これが有料アプリでは手痛い無駄づかいになる可能性があります。万が一、有料アプリを購入する際は、あらかじめそのメーカーの公式サイトを訪れ、Chromebookで問題なく動作するかの確認をするようにしてください。

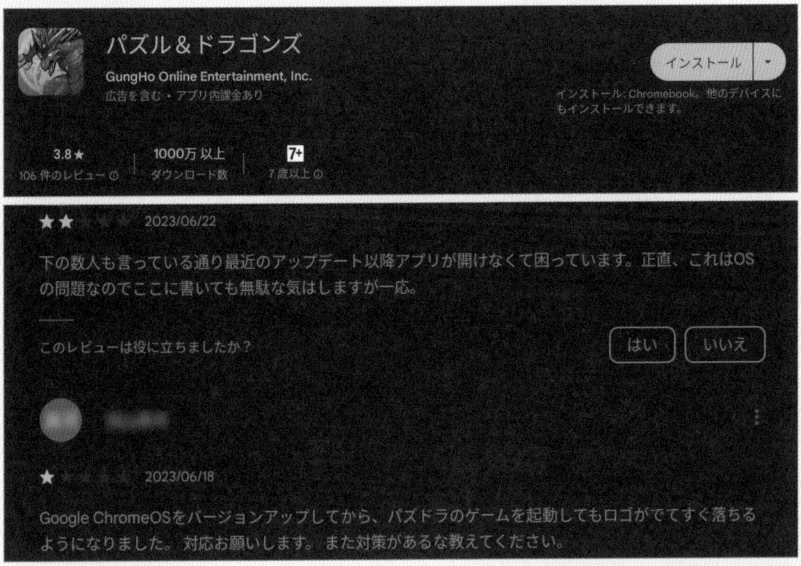

アプリのインストールで注意したいのは、動作非対応のアプリでも、なぜかインストールだけはできてしまうこと。メーカーの問題ではなく、Playストアの問題である

ほかのユーザーのレビューどおり、起動画面のあと、アプリが勝手に落ちてしまった。これでは残念だがアンインストールするしかない

section 11

カメラで手描きイラストを取り込んでみよう

Chromebookでは「カメラ」という、動画や写真を撮ったり、ドキュメントやQRコードをスキャニングできるアプリが用意されています。ここでは手描きイラストを取り込み、データ化する方法を解説しましょう。

ドキュメントをスキャンする

1 アウトカメラでスキャンを実行

カメラアプリでドキュメントをスキャンする場合、インカメラではなく、アウトカメラのほうがうまく撮影できます。アプリが取り込み範囲を水色のラインで示してくれるので、それを参考に角度や拡大率などを調整したら「スキャン」を実行して取り込みましょう。

コラム

QRコードの読み取りはスマホの方が簡単

カメラを使えば、動画、写真、ドキュメント、さらにQRコードまで撮影することができますが、スマホとの使い分けは考えるべきでしょう。特にQRコードは距離感がつかみにくく認識させるのが非常に困難だったため、スマホのQRリーダーに任せたほうが賢明です。動画や写真も、近年のスマホのほうが圧倒的にキレイに撮れます。外出先で急ぎイラストや図、資料の一部を取り込まなければいけないときだけ、このカメラ機能を使うのがよいでしょう。

2 スキャンしたイラストを保存

スキャンしたイラストは2つの形式で保存することができます。「写真として保存」を選べばJPEG形式、「PDFに保存」を選べばPDF形式となります。

1 どちらかを選んでクリックする

3 データを確認

これがカメラで取り込んだ手描きイラストの実データです。これだけしっかり取り込めていれば実用上は問題ありません。

section 12

動画配信サービスを利用してみよう

Chromebookでは、YouTubeをはじめ、YouTube Music、Amazon Prime、Netflix、Huluなどのさまざまな配信サービスを利用することができます。ここではまずYouTubeと、サブスクリプションの動画配信サービスHuluの視聴について解説しましょう。

YouTubeを視聴する

YouTubeはさまざまな投稿動画を視聴することができますが、無料版では動画をダウンロードしてあとで視聴できるオフライン再生がサポートされていませんので、常にネットに接続していることが前提となります。

1 YouTubeのアプリを起動する

ランチャーまたはシェルフからYouTubeのアプリを起動します。

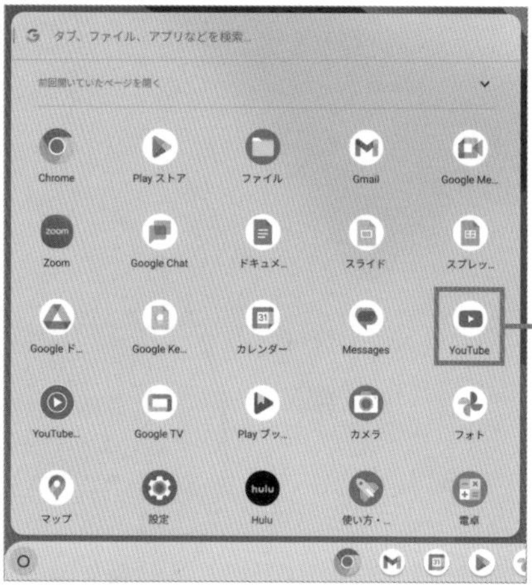

2 YouTubeを視聴する

あとは好きな動画を視聴するだけですが、ネットに接続していないとYouTubeのアプリは実質、使いものにならなくなります。

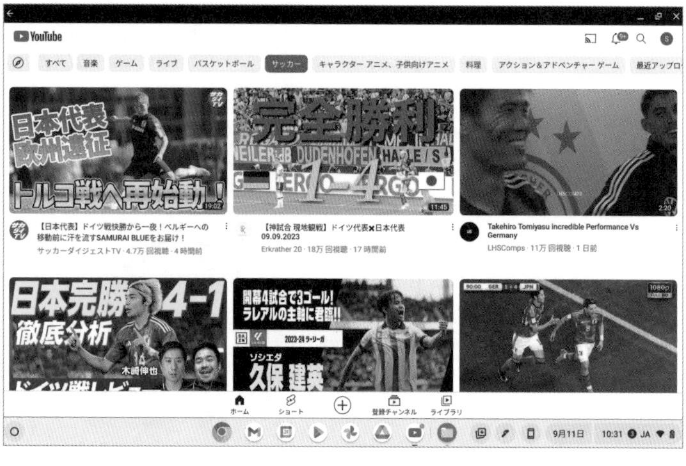

MEMO

YouTube Premiumでは、広告なしの再生やオフライン再生に対応していますので、YouTube好きの方は加入を検討してみてもいいでしょう。なお料金は月額1,280円です。

Huluを視聴する

Huluは月額1026円の有料動画配信サービスですが、動画（番組）をダウンロードすることもできますので、ネットに接続できない場所でも動画を視聴することができます。ただChromebook本体の容量を圧迫しますので、空き容量を踏まえ、必要最低限の数だけダウンロードしましょう。

1 Huluのアプリをインストール

Playストアから Huluのアプリをインストールします。

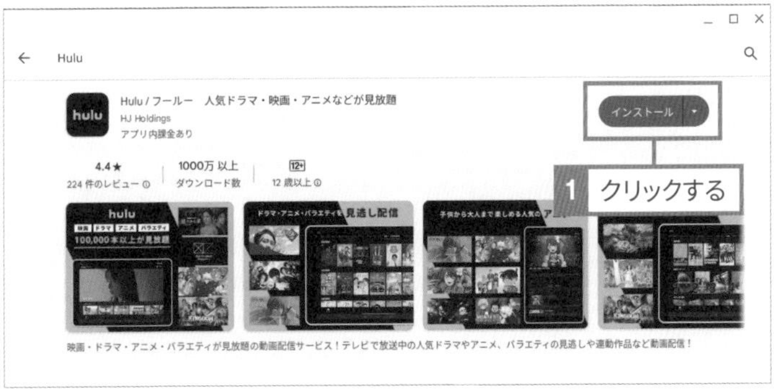

2 Huluのアプリを起動する

Huluアプリを起動し、ログインしたら、登録されているさまざまな動画を視聴することができるようになります。

3 番組をダウンロードする

Huluでは一部の動画をダウンロードすることができますので、ネットに接続できない場所でも動画を視聴することができます。ただChromebook本体の容量を圧迫しますので、空き容量を踏まえ、必要最低限の数だけダウンロードしましょう。

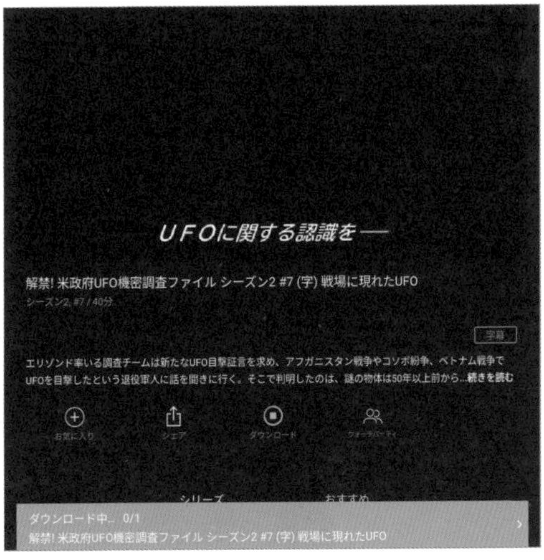

section 13

音楽配信サービスを利用してみよう

次に音楽配信サービスを利用してみます。ここではYouTube Musicと、サブスクリプションの音楽配信サービスSpotify（スポティファイ）の視聴について解説しましょう。

YouTube Musicを視聴する

YouTube Musicは、無料版では広告こそあるものの、膨大な曲を聴き、知らない見つけることができるのが魅了の音楽配信サービスです。有料版のYouTube Music Premiumにアップグレードすれば、月額980円で広告なしの音楽を好きなだけ楽しむことができるようになります。

1 YouTube Musicのアプリを起動する

ランチャーまたはシェルフからYouTube Musicのアプリを起動します。

2 音楽を聴く

Google検索の結果からオススメを自動で構成し、アナウンスしてくれます。

Spotifyを視聴する

Spotify（スポティファイ）もまた有料の音楽配信サービスですが、加入してから3カ月は無料で、その後の料金も月額980円と安く、全世界に愛用者が存在します。

1 Playストアからインストール

PlayストアからSpotifyのアプリをインストールします。

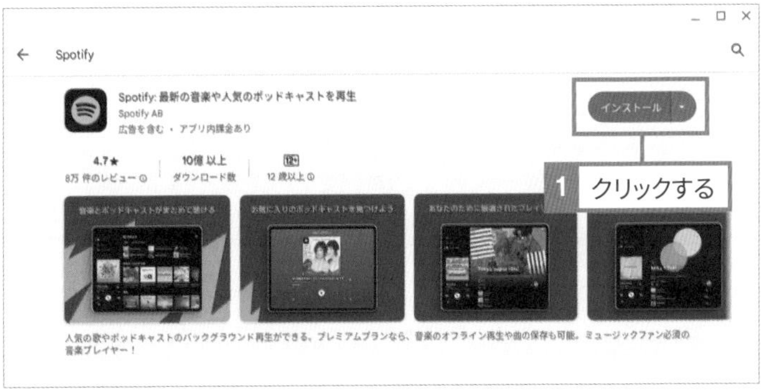

2 Spotifyで視聴する

インストール後、ランチャーからSpotifyのアプリを起動したら、3人以上のアーティストを選択する画面が現れます。その選択結果に応じたオススメのアルバムや曲などが表示されますので、まずはいろいろ聴いてみましょう。

3 Spotifyで探してみる

ジャケットによるアーティストの情報が楽しく、Spotifyによる曲探しもはかどることでしょう。

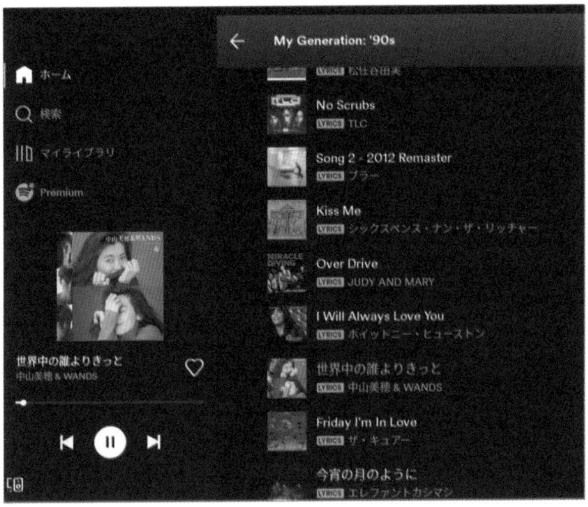

section 14

ChatGPTを使えるようにしよう

生成AIブームを巻き起こした「ChatGPT」は、2023年7月にPlayストアでアプリも公開され、より気軽に使えるようになりました。ただChatGPTには無料版と有料版があり、また使用するにあたりユーザー登録が必要なため、まずはその点について解説します。

ChatGPTとBardの違い

表に、ChatGPTの無料版と有料版、そして次項で解説するBardとの違いをまとめました。またChatGPTはAPIを使ってさまざまなサービスと連動させ、より高度に使うことができますが、APIの利用は有料で、しかも「トークン数」で料金が変わるという独特のシステムとなっています。英語の場合、1文字＝1トークンとなるので問題ないのですが、ひらがなだと1文字＝1トークン以上、漢字だと1文字＝2〜3トークンとなってしまうため、高額になってしまうことがあるので注意が必要です。

そこでまずはChatGPT無料版から始め、業務内容に応じてAPIを試してみる、ということで経験を上げていきましょう。

	ChatGPT無料版	ChatGPT有料版	Bard
料金	無料	有料	無料
検索エンジン	Bing	Bing	Google
回答数	1	1	3
言語モデル	GPT-3	GPT-4	LaMDAおよびPaLM2
日本語対応	○	○	○
プラグイン活用	×	○	×
プログラミング	○	○	×
検索エンジン連携	△	△	○
最新情報	△	△	○
出典情報	×	×	○

※2023年10月1日時点

ChatGPTのアカウントを取得する

1 ChatGPT公式サイトにログイン

ChatGPT（https://chat.openai.com/）を使用するにはまず、アカウントを取得する必要があります。公式サイトにログインし、「Sign up」をクリックしてください。

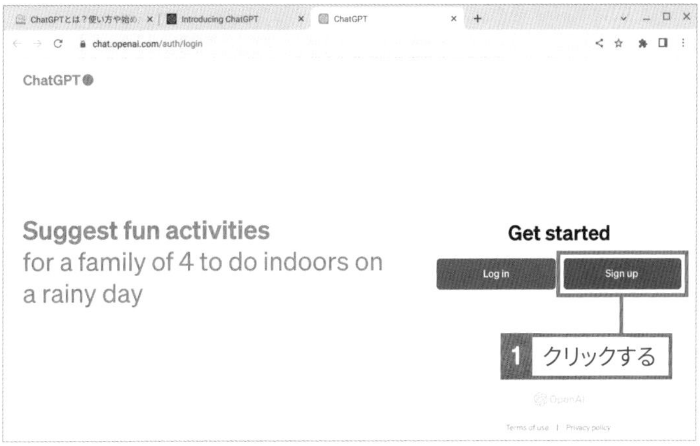

2 サインアップを進める

メールアドレスやパスワードを入力し、サインアップを進めます。

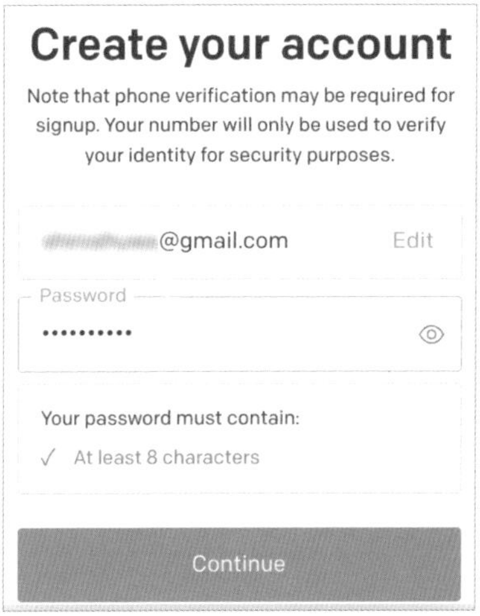

3 電話番号を入力する

サインアップの最後には電話による認証作業が入ります。電話番号がなければ、アカウントを取得することはできません。

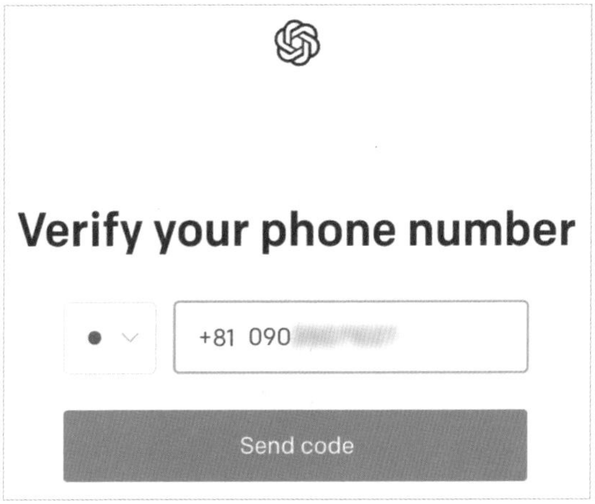

ChatGPTを使ってみる

1 ChatGPTを使ってみる

アカウント取得後、ChatGPT無料版がすぐに使えるようになります。「Okay,Let's go」をクリックしてさっそく試してみましょう。

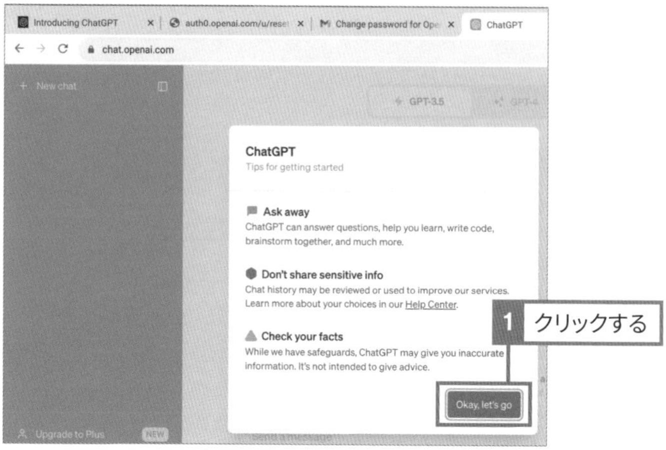
Introducing ChatGPT
auth0.openai.com/u/reset
Change password for Ope
ChatGPT
chat.openai.com
New chat
GPT-3.5
GPT-4
ChatGPT
Tips for getting started
Ask away
ChatGPT can answer questions, help you learn, write code, brainstorm together, and much more.
Don't share sensitive info
Chat history may be reviewed or used to improve our services. Learn more about your choices in our Help Center.
Check your facts
While we have safeguards, ChatGPT may give you inaccurate information. It's not intended to give advice.
Okay, let's go
1 クリックする
Upgrade to Plus
NEW

2 質問してみる

質問欄に日本語で質問してみましょう。なおChatGPTの上部に、GPT-3.5とGPT-4とあり、無料で使えるのは前者だけです。

GPT-3.5
GPT-4
ChatGPT
Recommend a dish
to impress a date who's a picky eater
Create a charter
to start a film club
Brainstorm edge cases
for a function with birthdate as input, horosco...
Suggest fun activities
for a family of 4 to do indoors on a rainy day
秀和システムはなにをやっている会社？
1 入力する
Free Research Preview. ChatGPT may produce inaccurate information about people, places, or facts.
Send message

3 回答を確認する

しばらくするとChatGPTが質問した内容に対する回答を表示してくれます。

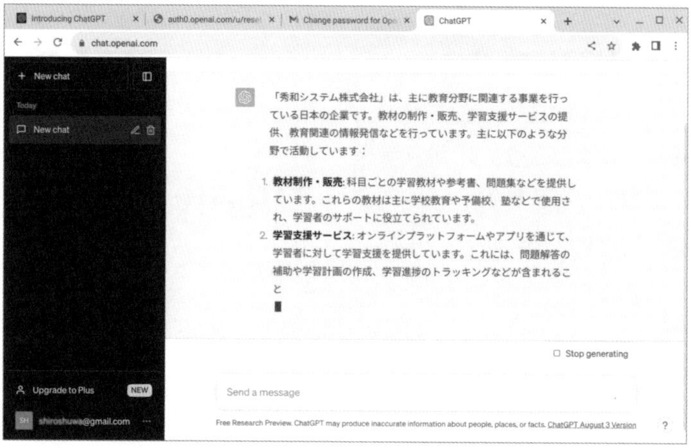
Introducing ChatGPT
auth0.openai.com/u/reset
Change password for Ope
ChatGPT
chat.openai.com
New chat
Today
New chat
「秀和システム株式会社」は、主に教育分野に関連する事業を行っている日本の企業です。教材の制作・販売、学習支援サービスの提供、教育関連の情報発信などを行っています。主に以下のような分野で活動しています：
1. 教材制作・販売: 科目ごとの学習教材や参考書、問題集などを提供しています。これらの教材は主に学校教育や予備校、塾などで使用され、学習者のサポートに役立てられています。
2. 学習支援サービス: オンラインプラットフォームやアプリを通じて、学習者に対して学習支援を提供しています。これには、問題解答の補助や学習計画の作成、学習進捗のトラッキングなどが含まれること
Stop generating
Upgrade to Plus
NEW
Send a message
shiroshuwa@gmail.com
Free Research Preview. ChatGPT may produce inaccurate information about people, places, or facts. ChatGPT August 3 Version

ChatGPTアプリを使ってみる

① ChatGPTアプリをインストール

2023年7月にChatGPTのアプリが公開されましたので、さっそくインストールして使ってみましょう。

ChatGPT
OpenAI
アプリ内課金あり
インストール
1 クリックする
4.1★
109 件のレビュー
1000万 以上
ダウンロード数
12 歳以上
このアプリについて
ChatGPT を使用すると、即座に回答、専門的な意見、創造的なインスピレーションを見つけることができます

② 質問してみる

ChatGPTに質問をして、回答が表示されました。ただ、なにか違和感が……。

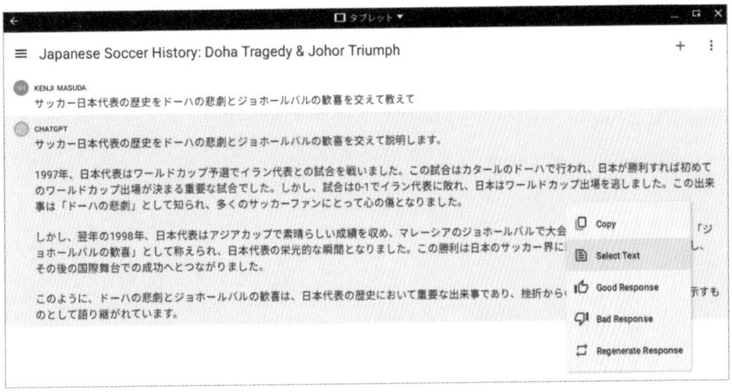
タブレット
Japanese Soccer History: Doha Tragedy & Johor Triumph
KENJI MASUDA
サッカー日本代表の歴史をドーハの悲劇とジョホールバルの歓喜を交えて教えて
CHATGPT
サッカー日本代表の歴史をドーハの悲劇とジョホールバルの歓喜を交えて説明します。
1997年、日本代表はワールドカップ予選でイラン代表との試合を戦いました。この試合はカタールのドーハで行われ、日本が勝利すれば初めてのワールドカップ出場が決まる重要な試合でした。しかし、試合は0-1でイラン代表に敗れ、日本はワールドカップ出場を逃しました。この出来事は「ドーハの悲劇」として知られ、多くのサッカーファンにとって心の傷となりました。
Copy
Select Text
Good Response
Bad Response
Regenerate Response

③ 回答を校正してみる

Googleドキュメントに貼りつけたあと、なにか間違いがあるか確認したところ、重要な箇所に多数の間違いが見つかりました。こうした簡単な質問でこれだけ間違いがあると、人によってはいちから文章を作成するより、修正の手間のほうがかかるかもしれません。

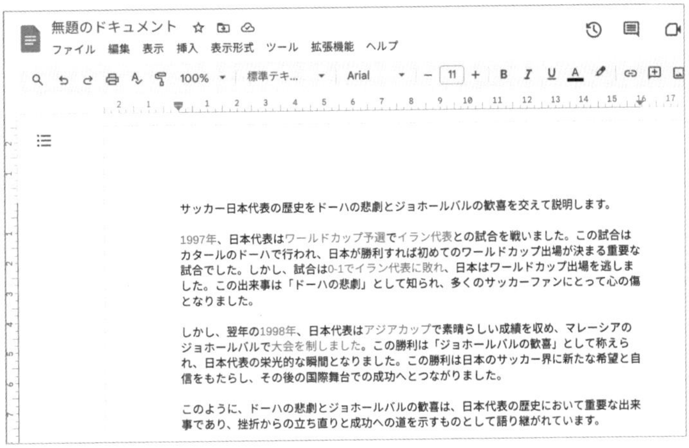
無題のドキュメント
ファイル 編集 表示 挿入 表示形式 ツール 拡張機能 ヘルプ
サッカー日本代表の歴史をドーハの悲劇とジョホールバルの歓喜を交えて説明します。
1997年、日本代表はワールドカップ予選でイラン代表との試合を戦いました。この試合はカタールのドーハで行われ、日本が勝利すれば初めてのワールドカップ出場が決まる重要な試合でした。しかし、試合は0-1でイラン代表に敗れ、日本はワールドカップ出場を逃しました。この出来事は「ドーハの悲劇」として知られ、多くのサッカーファンにとって心の傷となりました。
しかし、翌年の1998年、日本代表はアジアカップで素晴らしい成績を収め、マレーシアのジョホールバルで大会を制しました。この勝利は「ジョホールバルの歓喜」として称えられ、日本代表の栄光的な瞬間となりました。この勝利は日本のサッカー界に新たな希望と自信をもたらし、その後の国際舞台での成功へとつながりました。
このように、ドーハの悲劇とジョホールバルの歓喜は、日本代表の歴史において重要な出来事であり、挫折からの立ち直りと成功への道を示すものとして語り継がれています。

section 15

ChatGPT APIを取得しよう

ChatGPTをGoogleドキュメントやスプレッドシートなどのアプリから呼びだして使うには、「ChatGPT API」を取得する必要があります。ただしChatGPT APIは基本的には有料のサービスなので、利用するかどうかは使用頻度を踏まえ検討するようにしましょう。

ChatCPT APIを作成する

1 OpenAIのサイトにアクセス

ChatGPTログイン後、OpenAIのサイトの「Personal」メニューから「View API Keys」をクリックします。

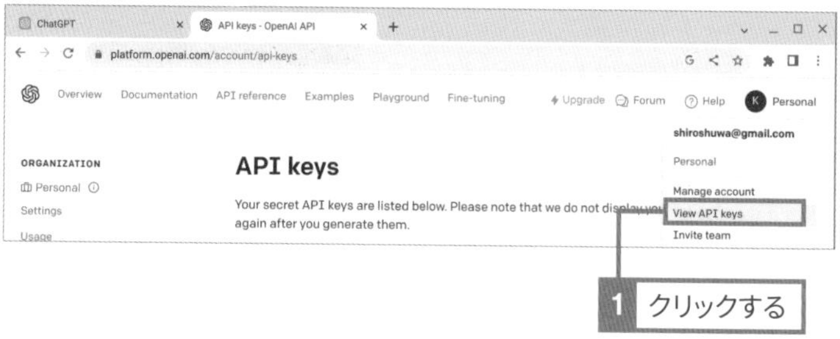

MEMO
このサイトにうまくたどりつけない場合は、Chromeで「ChatGPT View API Keys」と検索してみてください。

2 キーを作成する

「User」メニューにある「API Keys」をクリックしたあと、「Create new secret key」をクリックし、キーを作成します。キーを複数作成する場合は、名前で管理しておくようにすると便利です。

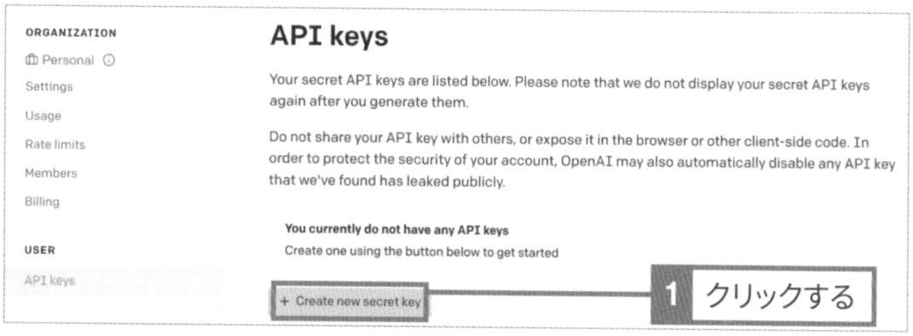

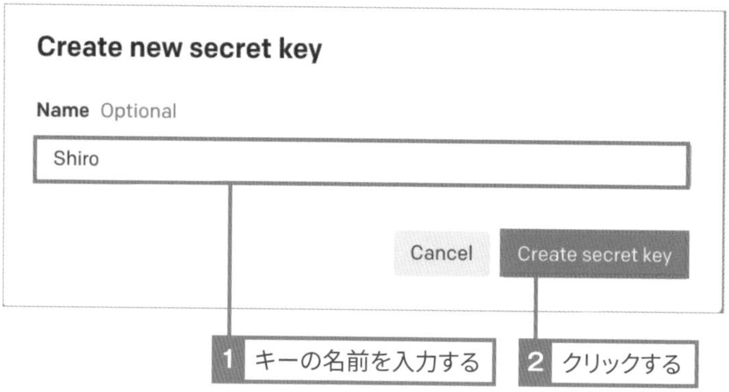

クレジットカード情報を登録する

1 キーが作成された

これでキー自体は作成されました。このキーをコピーし、アプリに組み込めばChatGPTを利用できるようになりますが、実際にはクレジットカード情報を登録しておかないと動作しません。

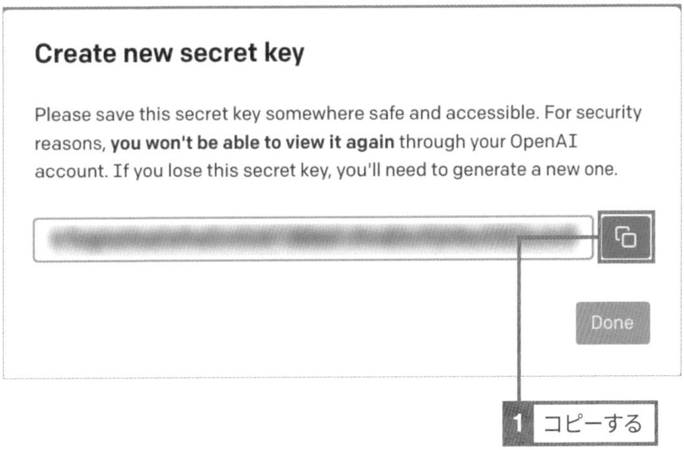

2 クレジットカード情報を登録する

クレジットカード情報の登録は、OpenAIのサイトの「Personal」メニューにある「Manage account」から行います。ここをクリックして次の画面の進み、左の「ORGANIZATION」メニューから「Billing」→「Overview」をクリックし、「Start payment plan」をクリックしてください。次に「Individual」か「Company」かを選択する画面が表示されますが、個人で使用する場合は「Individual」を、企業で使用する場合は「Company」を選んでください。これでクレジットカード情報を登録すればChatGPT APIが利用できるようになります。

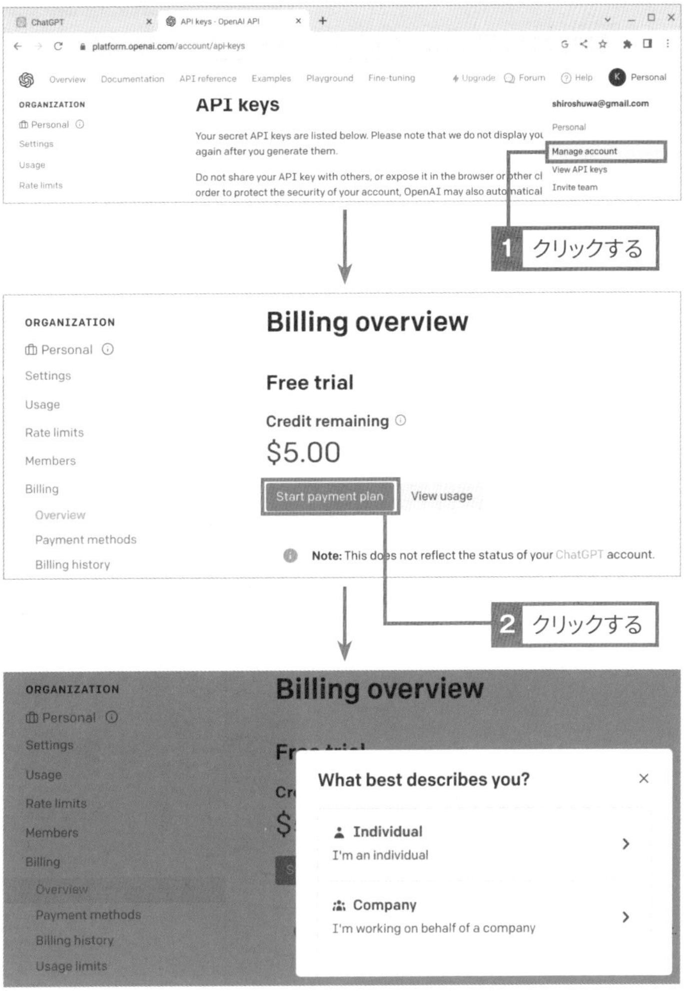

section 16

Bardを使えるようにしよう

Googleが試験運用中(2023年9月10日時点)の「Bard」は、Google検索と連携したリアルタイム性の高い回答が得られる無料の生成AIチャットサービスです。ここではその使い方を解説します。

Bardの使い方

1 Bardのサイトにアクセス

Bardは試験運用中ということもあり、専用のアプリはまだ提供されていません。このためGoogle検索で「Bard」の公式サイトを探し、アクセスします。Googleアカウントがあれば、別途アカウントを取得する必要などはありません。

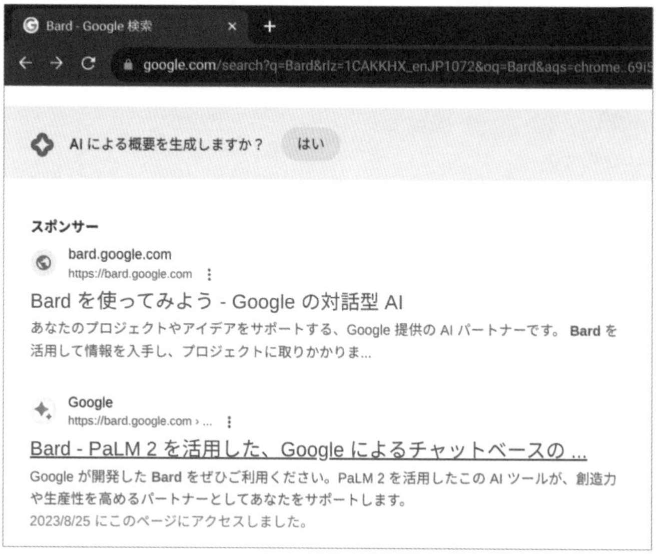

Bard - Google 検索
google.com/search?q=Bard&rlz=1CAKKHX_enJP1072&oq=Bard&aqs=chrome..69i5
AI による概要を生成しますか？
はい
スポンサー
bard.google.com
https://bard.google.com
Bard を使ってみよう - Google の対話型 AI
あなたのプロジェクトやアイデアをサポートする、Google 提供の AI パートナーです。 Bard を活用して情報を入手し、プロジェクトに取りかかりま...
Google
https://bard.google.com › ...
Bard - PaLM 2 を活用した、Google によるチャットベースの ...
Google が開発した Bard をぜひご利用ください。PaLM 2 を活用したこの AI ツールが、創造力や生産性を高めるパートナーとしてあなたをサポートします。
2023/8/25 にこのページにアクセスしました。

2 Bardに質問する

無料のサービスですので、なんでも気軽に質問してみましょう。今回はサッカー日本代表の歴史について質問してみます。

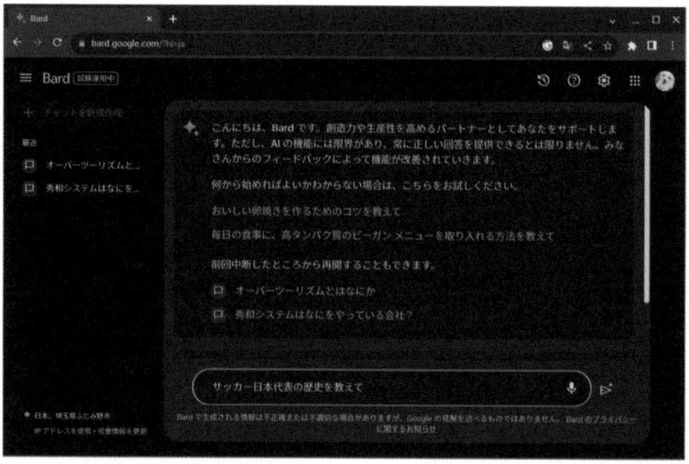

Bard
bard.google.com/?hl=ja
Bard 試験運用中
最近
オーバーツーリズムと...
秀和システムはなにを...
こんにちは、Bard です。創造力や生産性を高めるパートナーとしてあなたをサポートします。ただし、AI の機能には限界があり、常に正しい回答を提供できるとは限りません。みなさんからのフィードバックによって機能が改善されていきます。
何から始めればよいかわからない場合は、こちらをお試しください。
おいしい卵焼きを作るためのコツを教えて
毎日の食事に、高タンパク質のビーガン メニューを取り入れる方法を教えて
前回中断したところから再開することもできます。
オーバーツーリズムとはなにか
秀和システムはなにをやっている会社?
サッカー日本代表の歴史を教えて

③ 回答結果を確認

ただ、あまりに淡々とした解説で、昭和世代には忘れられない「ドーハの悲劇」も「ジョホールバルの歓喜」もでてきません。

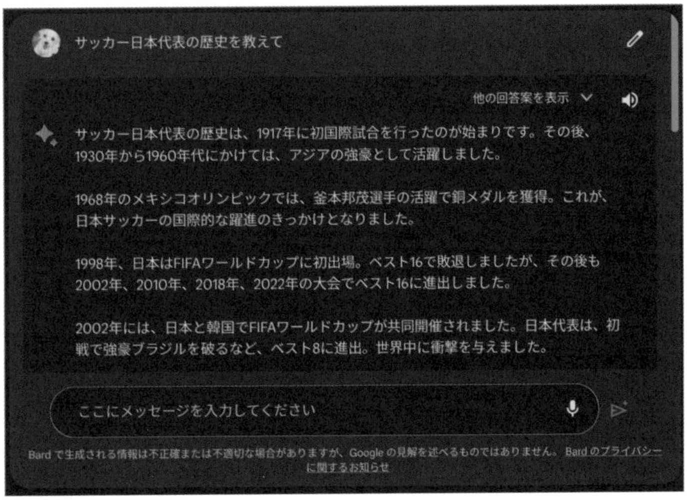
サッカー日本代表の歴史を教えて
他の回答案を表示
サッカー日本代表の歴史は、1917年に初国際試合を行ったのが始まりです。その後、1930年から1960年代にかけては、アジアの強豪として活躍しました。
1968年のメキシコオリンピックでは、釜本邦茂選手の活躍で銅メダルを獲得。これが、日本サッカーの国際的な躍進のきっかけとなりました。
1998年、日本はFIFAワールドカップに初出場。ベスト16で敗退しましたが、その後も2002年、2010年、2018年、2022年の大会でベスト16に進出しました。
2002年には、日本と韓国でFIFAワールドカップが共同開催されました。日本代表は、初戦で強豪ブラジルを破るなど、ベスト8に進出。世界中に衝撃を与えました。
ここにメッセージを入力してください
Bard で生成される情報は不正確または不適切な場合がありますが、Google の見解を述べるものではありません。Bard のプライバシーに関するお知らせ

④ 回答案を変更

そこで「他の回答案を表示」をクリックし、別の回答案に変更してみます。なかには、少し熱意のこもった回答案もでてきましたが、それでもまだ「ドーハの悲劇」も「ジョホールバルの歓喜」もでてきません。

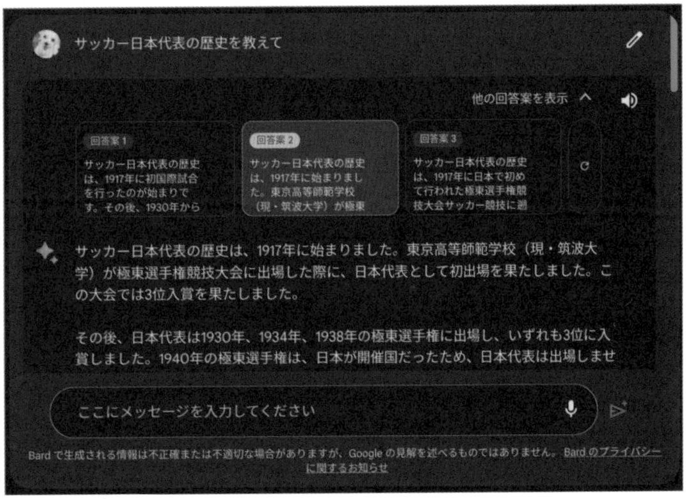
サッカー日本代表の歴史を教えて
他の回答案を表示
回答案 1
サッカー日本代表の歴史は、1917年に初国際試合を行ったのが始まりで す。その後、1930年から
回答案 2
サッカー日本代表の歴史は、1917年に始まりました。東京高等師範学校（現・筑波大学）が極東
回答案 3
サッカー日本代表の歴史は、1917年に日本で初めて行われた極東選手権競技大会サッカー競技に現
サッカー日本代表の歴史は、1917年に始まりました。東京高等師範学校（現・筑波大学）が極東選手権競技大会に出場した際に、日本代表として初出場を果たしました。この大会では3位入賞を果たしました。
その後、日本代表は1930年、1934年、1938年の極東選手権に出場し、いずれも3位に入賞しました。1940年の極東選手権は、日本が開催国だったため、日本代表は出場しませ
ここにメッセージを入力してください
Bard で生成される情報は不正確または不適切な場合がありますが、Google の見解を述べるものではありません。Bard のプライバシーに関するお知らせ

⑤ 質問を変えてみる

そこで質問自体を変えてみることにしました。質問を編集モードにし、重要キーワードを入れたうえで再度質問してみます。

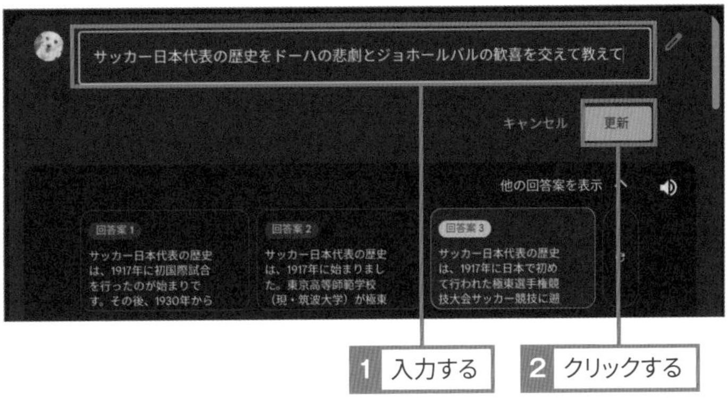
サッカー日本代表の歴史をドーハの悲劇とジョホールバルの歓喜を交えて教えて
キャンセル
更新
他の回答案を表示
回答案 1
サッカー日本代表の歴史は、1917年に初国際試合を行ったのが始まりで す。その後、1930年から
回答案 2
サッカー日本代表の歴史は、1917年に始まりました。東京高等師範学校（現・筑波大学）が極東
回答案 3
サッカー日本代表の歴史は、1917年に日本で初めて行われた極東選手権競技大会サッカー競技に現
1 入力する
2 クリックする

6 新たな回答を作成

新たに作成された質問のなかに、イメージに近いものを発見しました。ただどこか違和感が……。

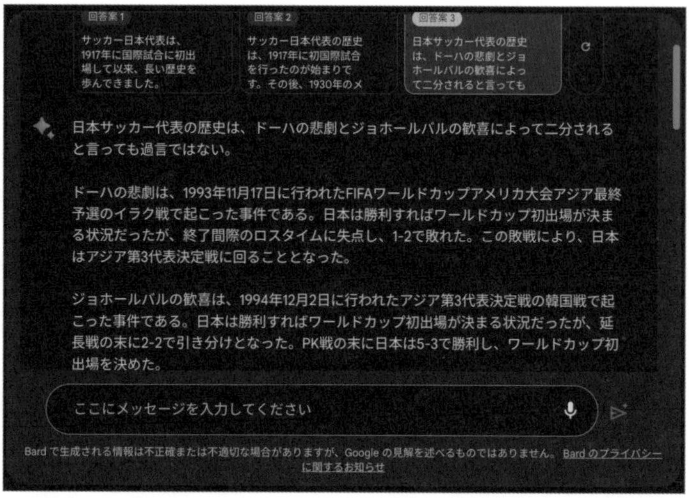
回答案 1
サッカー日本代表は、1917年に国際試合に初出場して以来、長い歴史を歩んできました。
回答案 2
サッカー日本代表の歴史は、1917年に初国際試合を行ったのが始まりです。その後、1930年のメ
回答案 3
日本サッカー代表の歴史は、ドーハの悲劇とジョホールバルの歓喜によって二分されると言っても
日本サッカー代表の歴史は、ドーハの悲劇とジョホールバルの歓喜によって二分されると言っても過言ではない。
ドーハの悲劇は、1993年11月17日に行われたFIFAワールドカップアメリカ大会アジア最終予選のイラク戦で起こった事件である。日本は勝利すればワールドカップ初出場が決まる状況だったが、終了間際のロスタイムに失点し、1-2で敗れた。この敗戦により、日本はアジア第3代表決定戦に回ることとなった。
ジョホールバルの歓喜は、1994年12月2日に行われたアジア第3代表決定戦の韓国戦で起こった事件である。日本は勝利すればワールドカップ初出場が決まる状況だったが、延長戦の末に2-2で引き分けとなった。PK戦の末に日本は5-3で勝利し、ワールドカップ初出場を決めた。
ここにメッセージを入力してください
Bard で生成される情報は不正確または不適切な場合がありますが、Google の見解を述べるものではありません。Bard のプライバシーに関するお知らせ

7 Googleドキュメントにエクスポート

そこで作成された文章を「Googleドキュメントにエクスポート」して確認してみることしましょう。

共有
Google ドキュメントにエクスポート
Gmail で下書きを作成
1 クリックする

8 内容を確認・編集

内容を確認してみたところ、あまりに多くのミスが見つかりました（赤字の部分）。Bardはまだ試験運用中ですから、今後の精度アップに期待したいところです。

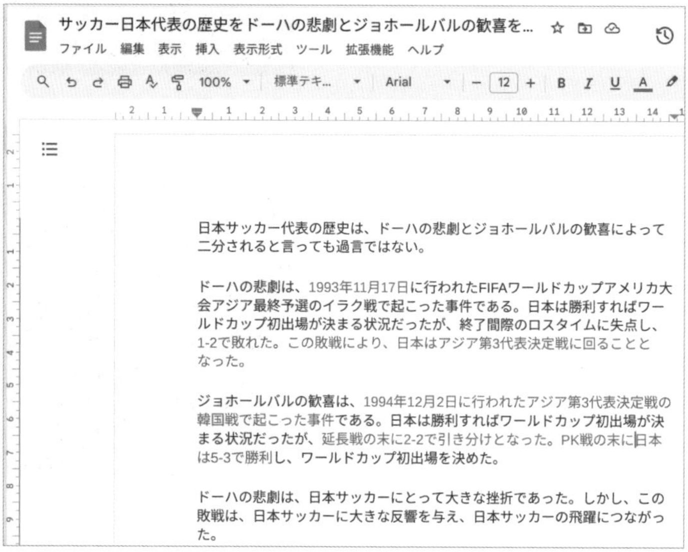
サッカー日本代表の歴史をドーハの悲劇とジョホールバルの歓喜を...
ファイル 編集 表示 挿入 表示形式 ツール 拡張機能 ヘルプ
100% 標準テキ... Arial 12
日本サッカー代表の歴史は、ドーハの悲劇とジョホールバルの歓喜によって二分されると言っても過言ではない。
ドーハの悲劇は、1993年11月17日に行われたFIFAワールドカップアメリカ大会アジア最終予選のイラク戦で起こった事件である。日本は勝利すればワールドカップ初出場が決まる状況だったが、終了間際のロスタイムに失点し、1-2で敗れた。この敗戦により、日本はアジア第3代表決定戦に回ることとなった。
ジョホールバルの歓喜は、1994年12月2日に行われたアジア第3代表決定戦の韓国戦で起こった事件である。日本は勝利すればワールドカップ初出場が決まる状況だったが、延長戦の末に2-2で引き分けとなった。PK戦の末に日本は5-3で勝利し、ワールドカップ初出場を決めた。
ドーハの悲劇は、日本サッカーにとって大きな挫折であった。しかし、この敗戦は、日本サッカーに大きな反響を与え、日本サッカーの飛躍につながった。

3

Chromebookを賢く使いこなそう
― ブラウザ編 ―

section 01

Chromebookの標準ブラウザを知ろう

Chromebookのブラウザは「Chrome」です。パソコンで使えるChromeブラウザと同じ機能が使えます。Googleのサービスと連携が取りやすく、またさまざまな拡張機能をインストールして、機能をあとから追加できるのが特徴です。

Chromeブラウザの特徴

ChromeはGoogleが作ったブラウザです。WindowsやmacOSなど、さまざまなOSに向けて提供されています。Chromebookが搭載しているChromeOSは、このChromeをメインにしためずらしいOSですが、ブラウザとして見た場合の基本的な使い方はパソコン版のChromeと同じです。シンプルなタブブラウザなので、初めて触る人でも、すぐ使い始めることができるでしょう。ここではChromeの特徴を見てみましょう。

● 複数のデバイスで設定を同期できる

同じGoogleアカウントでログインしている、すべての端末でデータを同期できます。ブックマークや閲覧履歴、拡張機能、パスワードといったデータは、Googleアカウントに保存されて、ほかの端末からも使用できるようになります。端末を変えても、いつもと同じ環境、同じChromeを利用できるのが大きな特徴です。もちろん同期したくない項目をオフにすることも可能です。

同期できる内容	
アプリ	リーディングリスト
ブックマーク	開いているタブ
拡張機能	パスワード
履歴	住所やその他の情報
設定	Google Payの支払い方法と住所
テーマと壁紙	Wi-Fiネットワーク

● Gmailやドキュメントなどとの連携が得意

Gmailやドキュメントなど、Googleのサービスのほとんどは、ブラウザから利用します。Chromeにログインしていれば、Chromeや付属のアプリからすべてのサービスが利用可能です。それぞれのサービスは、別のサービスと連携しています。Googleドライブに保存したファイルを、メールやドキュメントに添付したり、受信したメールからスケジュールを作成したり、Chromeが中心となってサービス同士をつないでいます。

● 拡張機能を追加できる

「Chromeウェブストア」でChrome用の拡張機能（アドオン）を追加できます。必要な機能を選んでChromeに追加することで、インターネットをより使いやすくします。広告表示が邪魔なら広告をブロックする拡張機能がありますし、インターネットショッピングの履歴を管理する拡張機能や、好きなときにメモを追加する拡張機能など、ユーザーの使い方にあわせてChromeをカスタマイズできるようになっています。最近ではChromeからChatGPTを利用するための拡張機能も人気です。

拡張機能の例
広告を非表示にする
Edge に保存したパスワードを利用する
Web ページを保存する
パソコンをリモート操作する
ChatGPT を利用する

ChromeとEdgeの違いは？

「Edge」はマイクロソフトが提供しているブラウザです。Chromeと同じエンジンを利用して作られていますが、Edge独自の機能が追加されています。Edgeは、Windows 10以降に搭載されており、「Internet Explorer」（インターネットエクスプローラー）の後継にあたります。Windows専用ではなく、macOSやiOS、Androidもサポートしていますが、Chromebookからはそのままでは利用できません。

Edgeの特徴は、OneNoteとの連携機能です。「Webノート」を利用すれば、Webページに手書きのメモを追加してOneNoteへ保存できます。またChromeと同様の拡張機能が利用できます。マイクロソフトが提供しているものに加え、Chrome用の拡張機能をインストールして使うことができます。最近では、「Bingチャット」と呼ばれるAIを利用した検索エンジン「新しいBing」を利用するのにも使われています。

MicrosoftのEdgeブラウザ

section 02

Chromeの画面構成を知ろう

Chromeはシンプルな使い勝手のブラウザです。ボタン類も少なく、事前知識がなくても、インターネットを利用できます。ここではChromeブラウザの起動の仕方と、画面構成について見てみましょう。

● Chromeを起動する

Chromeが表示されていなければ、シェルフ（またはランチャー）にある「Chrome」のアイコンをクリックします。

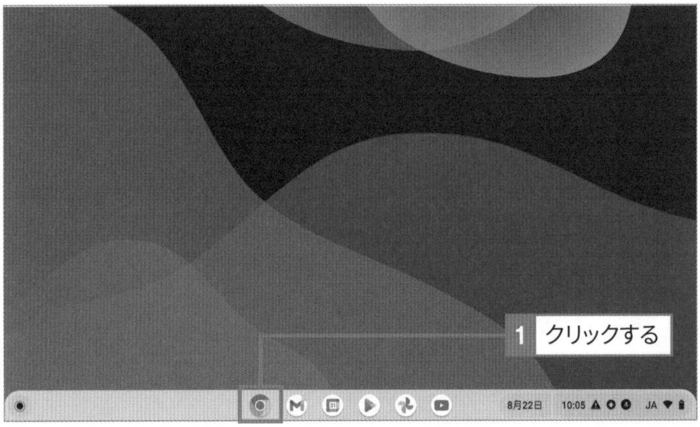

● Chromeの画面構成を知ろう

❶ タブバー
❷ ツールバー
❸ ブックマークバー
❹ トップページ

● トップページの使い方を知ろう

新しいタブを作ったときに表示される画面です。検索ボックスやショートカットが表示されています。背景は白ですが、好きな写真を表示するなどユーザーの好みでカスタマイズできます。

コラム

Chromeをカスタマイズする

「Chromeをカスタマイズ」をクリックすると、テーマや背景、ショートカットの表示/非表示などを好みのスタイルに変更できます。

section 03

基本的な検索方法を覚えよう

Chromeを使ってWebの記事を検索してみましょう。キーワードを組み合わせることで、検索の精度を上げることができます。またページ内検索を行うことで、開いているページ内のどこに知りたいことが書いてあるか、すばやくチェックできます。

検索を実行する

1 新しいタブを作って検索を実行する

タブの右側にある「+」をクリックすると、新しいタブが開きます。アドレスバーやトップページの検索ボックスに検索したいキーワードを入力して「Enter」キーを押します。

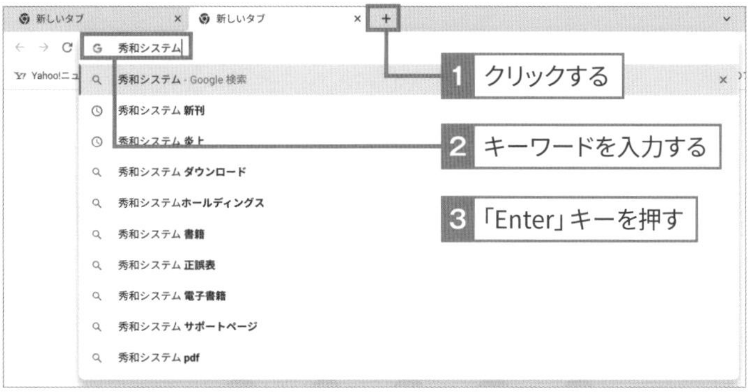

MEMO
Googleが表示する候補を選ぶか、半角スペースを間に挟んで複数のキーワードを入力すると検索の精度が上がります。

2 検索結果をクリックする

検索候補をクリックしてページを開きます。

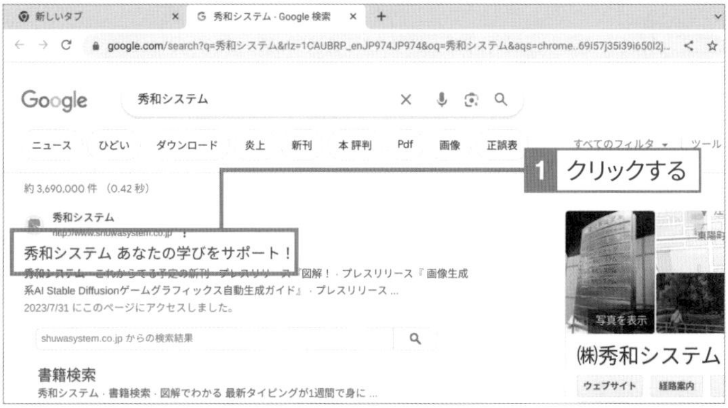

MEMO
検索結果を残したままリンク先のページを新しいタブに開きたいときは「Ctrl」キーを押しながらリンクをクリックします。

画像やニュースを検索する

1 検索の対象を切り替える

検索結果が表示された状態で、画面上部にある「画像」や「ニュース」などをクリックすると、検索の対象を指定できます。

MEMO
「すべて」のフィルタで動画や書籍、ファイナンスなど、ほかの検索対象が表示されます。

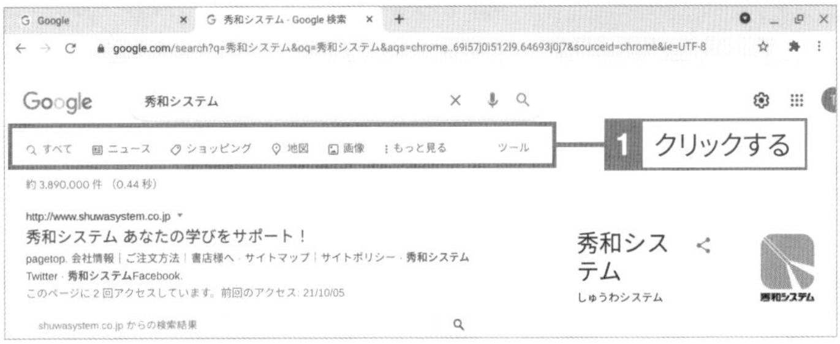

2 検索結果をクリックする

「画像」を検索したところです。画像をクリックして関連画像をさらに検索するか、タイトルをクリックして該当のURLへアクセスします。

ページ内を検索する

1 「Ctrl」＋「F」キーを押す

Webページを開いた状態で、「Ctrl」＋「F」キーを押し、検索ボックスを表示します。

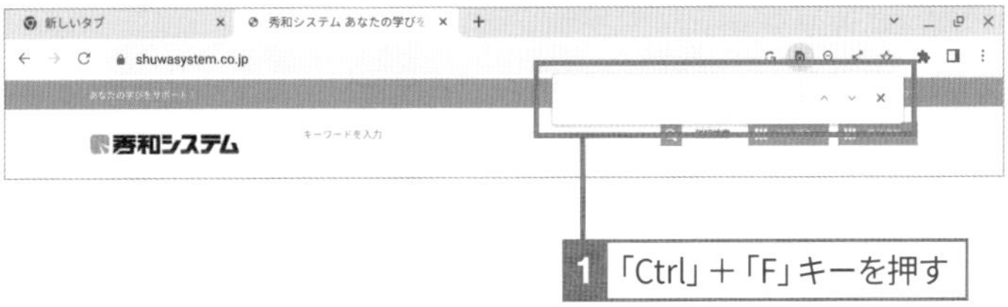

2 キーワードを検索する

検索ボックスにキーワードを入力すると、該当箇所にジャンプしてキーワードがハイライト表示されます。ほかに候補がある場合「∧」と「∨」で移動できます。

section 04

Chromeでタブをすばやく切り替える方法を覚えよう

Chromeではタブを使って複数のWebページを表示できます。開きすぎたタブはグループごとに整理したり、別のウィンドウへまとめて移動したりできます。またショートカットキーを覚えると、キーボードを操作するだけで、タブをすばやく切り替えることができます。

新しいタブを作って切り替える

1 「＋」をクリックする

タブバーにある「＋」をクリックします。「Ctrl」＋「T」キーを覚えるとキーボードからすばやくタブを追加できます。

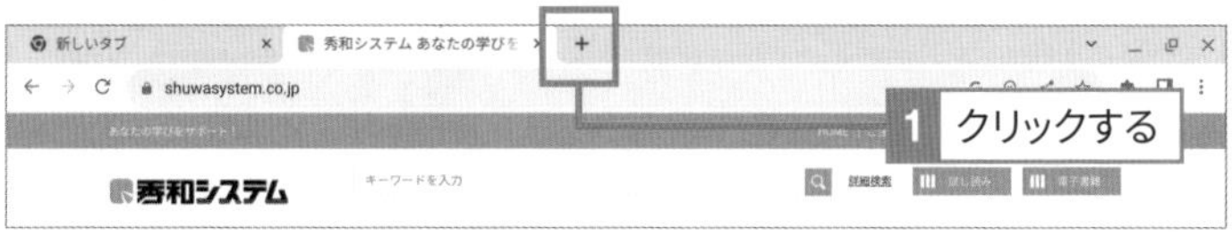

2 新しいタブが作られる

新しいタブが作られてアドレスバーにカーソルが移動します。キーワードを入力してすばやく検索を実行できます。前のタブに切り替えるには、タブをクリックします。

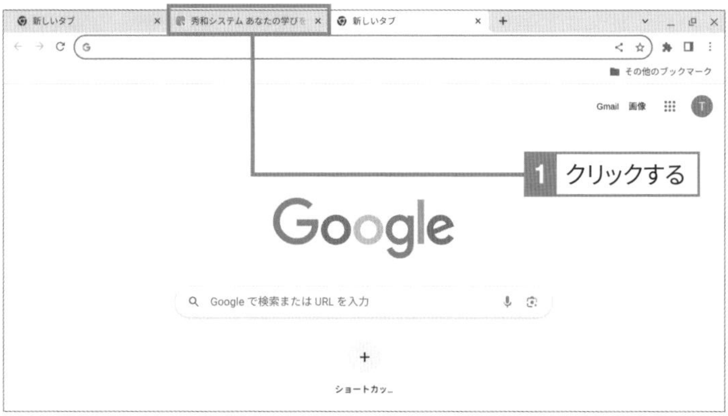

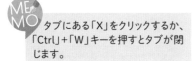

MEMO タブにある「X」をクリックするか、「Ctrl」+「W」キーを押すとタブが閉じます。

3 タブが切り替わる

隣のタブに切り替わりました。

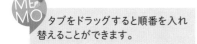

MEMO タブをドラッグすると順番を入れ替えることができます。

タブを間違えて閉じないようにする

1 タブを固定する

右クリックして「固定」をクリックします。

MEMO
タブの上で右クリックして「固定」をクリックします。

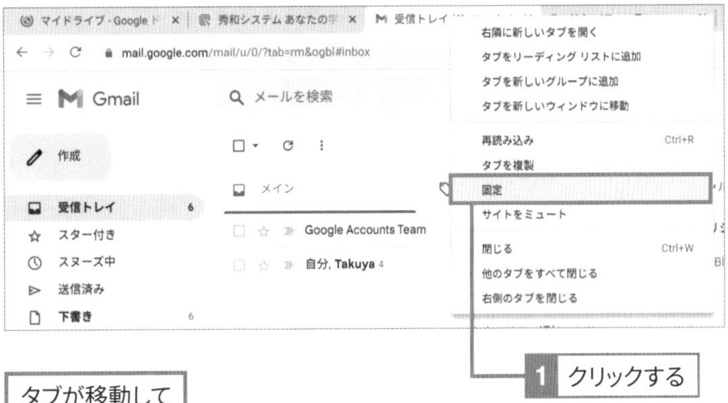

2 タブが固定される

タブが一番左端に移動します。「X」が非表示になり、タブを閉じにくくなります。

MEMO
右クリックして「固定を解除」で固定状態が解除されます。

コラム

キーボードから操作する

タブをすばやく切り替えるにはキーボードを操作します。「Ctrl」+「1」キーから「Ctrl」+「8」キーで、左から8番目までのタブに切り替わるので、離れた場所にあるタブに自由に行き来できます。

9番目以降のタブを選択したいときは、一度「Ctrl」+「9」キーを押して一番右端のタブへ切り替えたあと、「Ctrl」キーを押さえたまま「Tab」キーを何度か押して、目的のタブに切り替えます。ショートカットキーを使うと、キーボードから指を離さずにWebページを閲覧できるので便利です。

覚えると便利なショートカットキー	
Ctrl+1から8	タブの左端から数えて1から8番目までのタブに切り替える
Ctrl+9	一番右端のタブへ切り替える
Ctrl+Tab	右隣のタブに切り替える
Ctrl+Shift+Tab	左隣のタブに切り替える

section 05 Chromeのブックマークを登録しよう

銀行やオンラインショッピングサイトなど、何度も利用するところはブックマークに登録しておきます。ブックマークバーを利用すれば、いつでもワンクリックでお気に入りのWebサイトを表示できます。

ブックマークを登録する

1 ブックマークを登録する

ブックマークに登録したいページを開いておきます。アドレスバーの端にある「☆」(スターアイコン)をクリックし、「ブックマークを追加」を選択します。

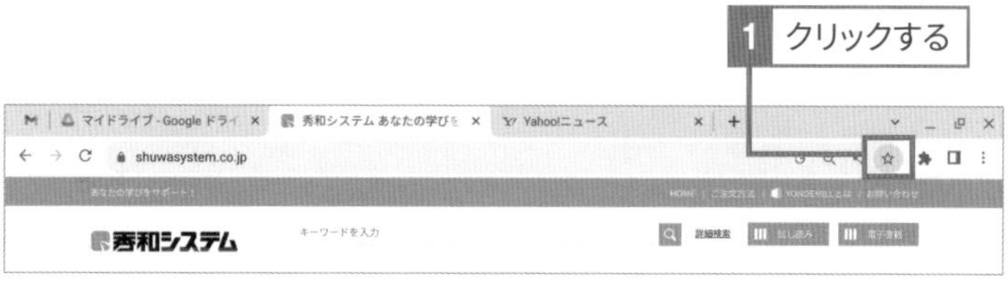

2 保存先を選ぶ

名前やフォルダを設定し、「完了」をクリックします。よく見るページなら「ブックマークバー」に登録し、そうでないページは「その他のブックマーク」や「別のフォルダを選択」で保存先を選べます。

ブックマークを利用する

① 「ブックマークバーを表示」をクリックする

「Google Chromeの設定」ボタンをクリックし、「ブックマーク」→「ブックマークバーを表示」をクリックします。

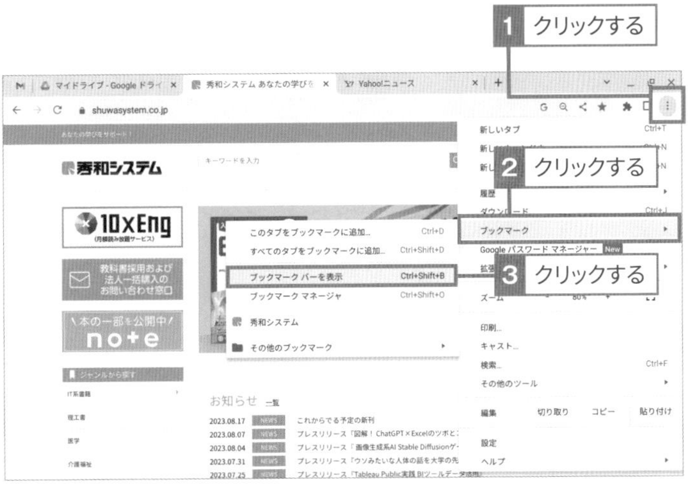

② ブックマークが表示される

ブックマークバーが表示され、登録したブックマークが利用できるようになりました。

MEMO ブックマークバー以外の場所に追加したブックマークは、「その他のブックマーク」から利用できます。

コラム

リーディングリストを利用する

何度も利用するサイトを登録するのに便利なブックマークに対して、読みたい記事をあとで読み返すための機能が「リーディングリスト」です。あとで読みたい記事を見つけたときは、サイドパネルを表示したあと「リーディングリスト」に切り替えて、「現在のタブを追加」をクリックします。登録した記事をクリックすると、いつでも記事を読むことができます。

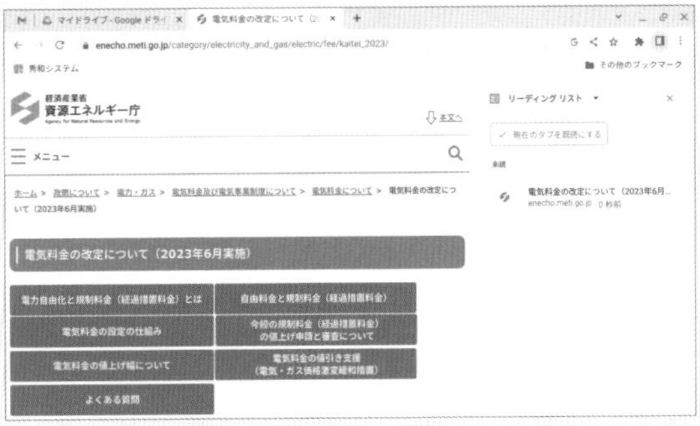

リーディングリスト

section 06

Chromeのブックマーク整理方法を覚えよう

いらなくなったブックマークは削除できます。ブックマークバーを表示しているなら、操作は一瞬です。フォルダを移動したり、たまったブックマークをまとめて整理したいときは、「ブックマークマネージャ」を利用しましょう。

いらなくなったブックマークを削除する

ブックマークバーを表示した状態で操作します。

1 ブックマークを削除する

ブックマークの上で右クリックして「削除」をクリックします。

MEMO 名前を変更したいときなどは「編集」をクリックします。

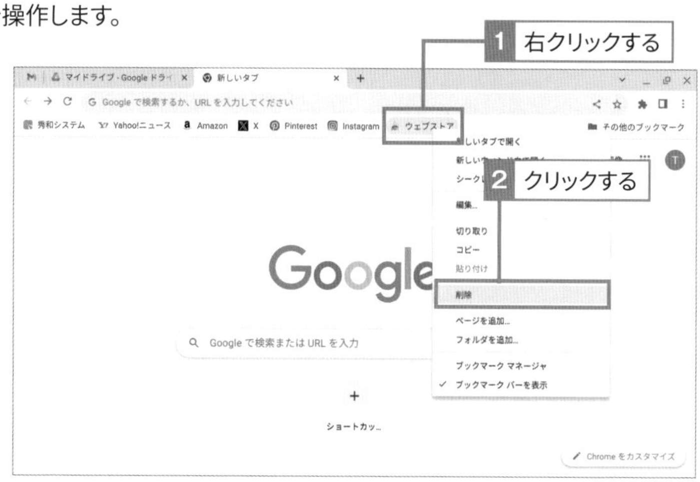

2 削除できた

ブックマークが削除されました。

MEMO 「その他のブックマーク」にあるブックマークも同様の操作で削除できます。

ブックマークをまとめて整理する

1 ブックマークマネージャを開く

「Google Chromeの設定」ボタンをクリックし、「ブックマーク」→「ブックマークマネージャ」をクリックします。

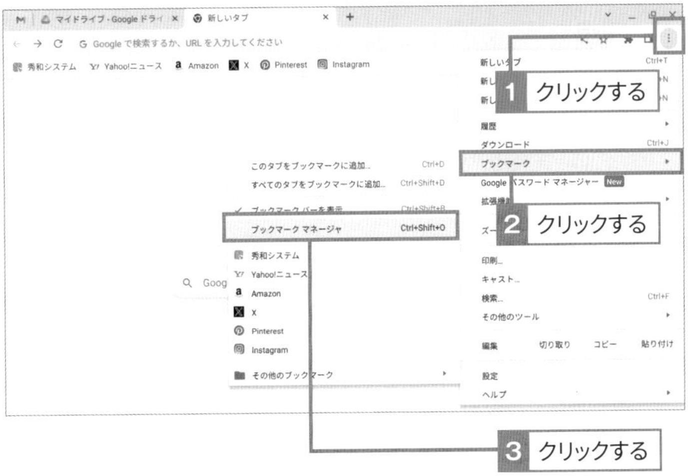

2 ブックマークを整理する

ブックマークの並び順や保存先のフォルダをドラッグして編集できます。

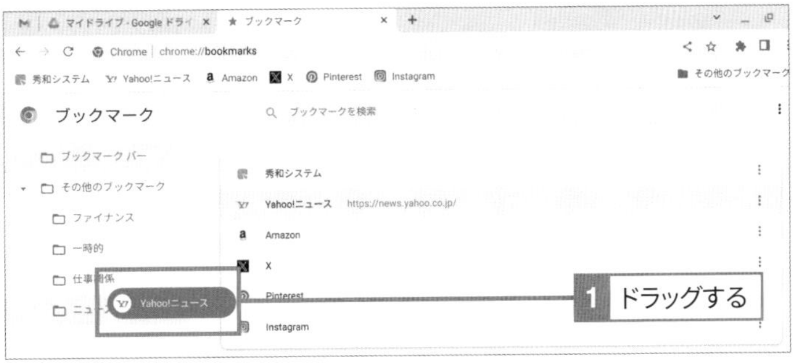

コラム ブックマークバーを広く使う

ブックマークバーは便利ですが、Chromebookの狭い画面だと少し窮屈です。「編集」をしてWebサイトの名前を空白にする（削除する）と、Webサイトのアイコンだけ表示されます。この方法を使うと、ブックマークバーに20個以上のWebサイトを並べることができて、使えるスペースが劇的に増えます。

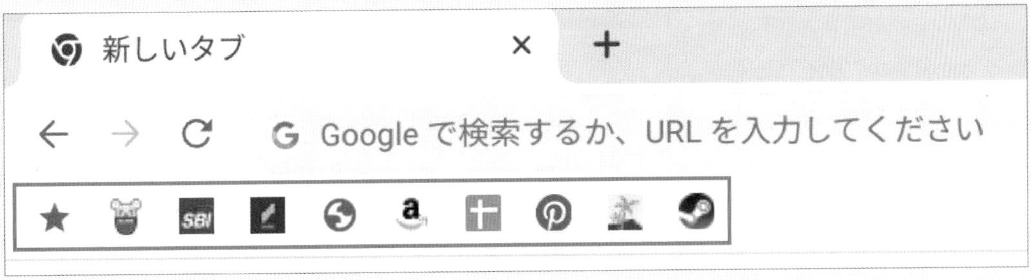

アイコン表示だけにするとスペースが広く使える

section 07

Chromeブラウザの検索テクニックを知ろう

検索候補を複数のタブに開いて、1つずつ確認する方法もよいですが、サイドパネルを使うと、いつでも検索結果に戻ってリンクを開き直すことができます。余分なタブを開かないですむため、ブラウザのタブ周りをすっきり使うことができます。

サイドパネルで検索を開く

1 Googleの検索候補を開く

Googleで検索を実行したあと、候補の1つをクリックしてWebサイトを表示します。

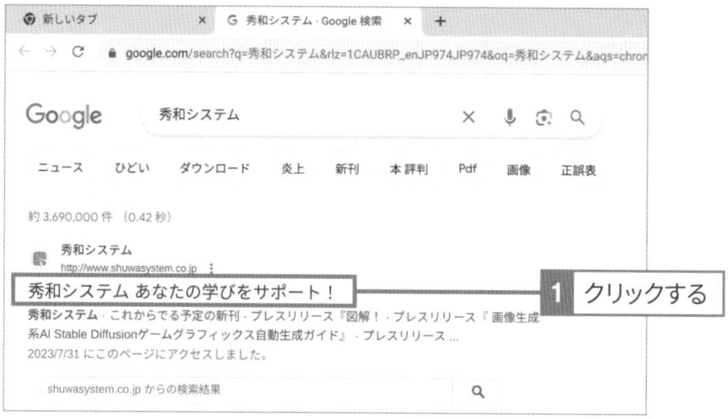

2 「サイドパネルで検索を開く」をクリックする

アドレスバーに表示されているGoogleのアイコンをクリックします。

3 サイドパネルが開く

サイドパネルに検索結果が表示されます。ほかのリンク先をクリックしてWebページを移動できます。

画像を翻訳する

1 Googleで画像を検索する

画像の上で右クリックして「Googleで画像を検索」をクリック。

2 「翻訳」をクリックする

サイドパネルが表示されるので、「翻訳」をクリックすると日本語に翻訳される

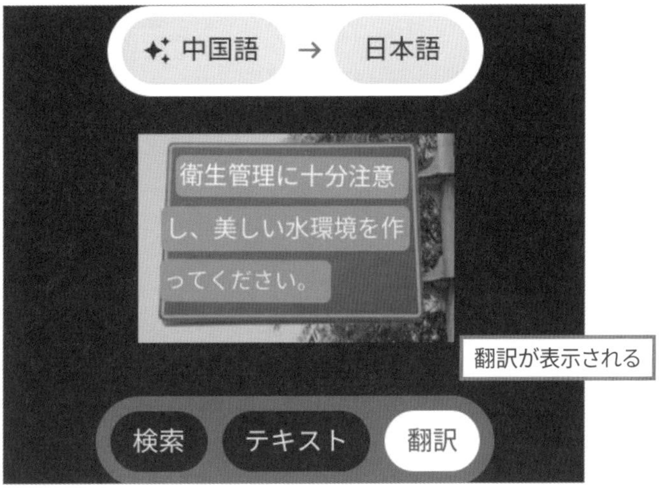

section 08

Chromeブラウザをカスタマイズして使いやすくしよう

Chromeを設定画面には、さまざまな項目があります。ここではユーザーが好みのスタイルにカスタマイズするための機能を紹介します。

Chromeのデザインを変更する

1 「設定」を開く

「Google Chromeの設定」をクリックし「設定」を選択します。

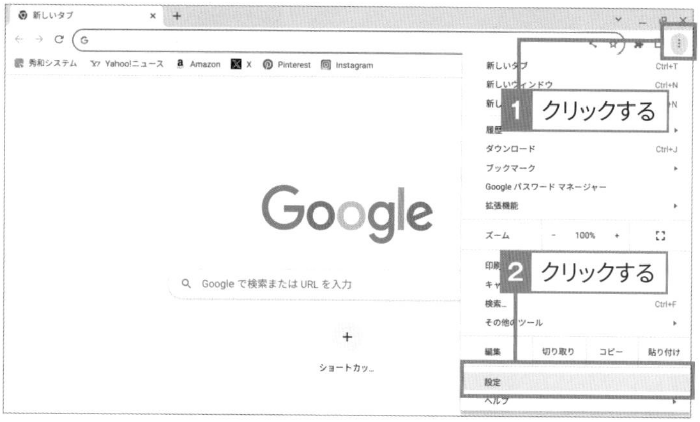

2 「ブラウザのテーマ」を開く

設定画面が開いたら、「デザイン」にある「ブラウザのテーマ」をクリックします。

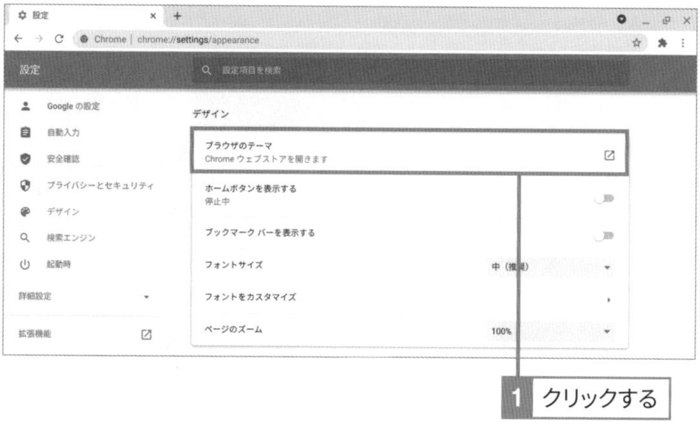

MEMO
デザインでは、フォントサイズやフォントの変更もできます。画面が狭くなったり、文字が見にくくなることがあるので、不満があるときのみ試してみましょう。

3 テーマを選ぶ

Chromeウェブストアの「テーマ」ページが開きます。好みのテーマを見つけてクリックします。

4 Chromeに追加する

テーマの詳細が表示されるので、「Chromeに追加」をクリックします。

5 テーマが適用される

テーマが適用されます。トップ画面の背景も変化します。

MEMO 元に戻したいときは、「デザイン」の「ブラウザのテーマ」の横にある「デフォルトに戻す」をクリックします。

トップ画面に移動すると背景も変更されている

section 09

履歴データを活用する方法を覚えよう

「前に見たページはどこだっけ?」というときに役立つのが履歴です。Chromeには、表示したWebページの履歴がすべて記録されており、キーワードで検索できます。履歴をまとめて削除することも可能です。

過去に開いたページを探す

1 履歴を表示する

「Google Chromeの設定」にある「履歴」→「履歴」をクリックします。

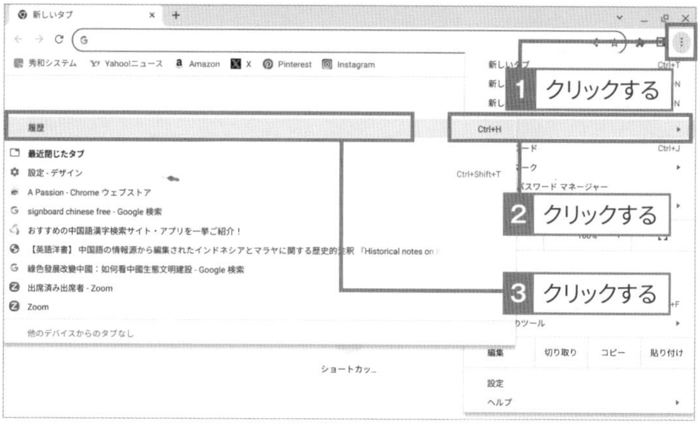

2 履歴が表示される

Chromeで表示した履歴がすべて表示されます。「履歴を検索」で検索することも可能です。

MEMO
「閲覧履歴データの削除」で履歴データを削除できます。

Chapter 4

Chromebookを賢く使いこなそう

―メール編―

section 01

Chromebookの標準メールアプリを知ろう

Googleといえば、Gmailです。Chromebookの標準メールアプリは、もちろん「Gmail」です。Googleアカウントがあれば、誰でも利用できるGmailは、今では使っていない人を見つけるのが難しいほど。ここではGmailの特徴について見ていきます。

Gmailの特徴

Gmailは Googleが提供しているメールサービスです。Googleアカウントがあれば、誰でもすぐに使い始めることができ、ChromebookでもWindowsでもMacからでも利用できます。Gmailの画面と特徴は、次のとおりです。

● Googleのサービスと連携する

Googleのさまざまなサービスを利用するのに、必要になるのがGmailです。ファイルの共有や共同作業などを行うとき、Gmailを介して通知や招待を送信します。Chromebookはもちろん、Googleサービスを利用するうえで、Gmailはなくてはならない存在です。

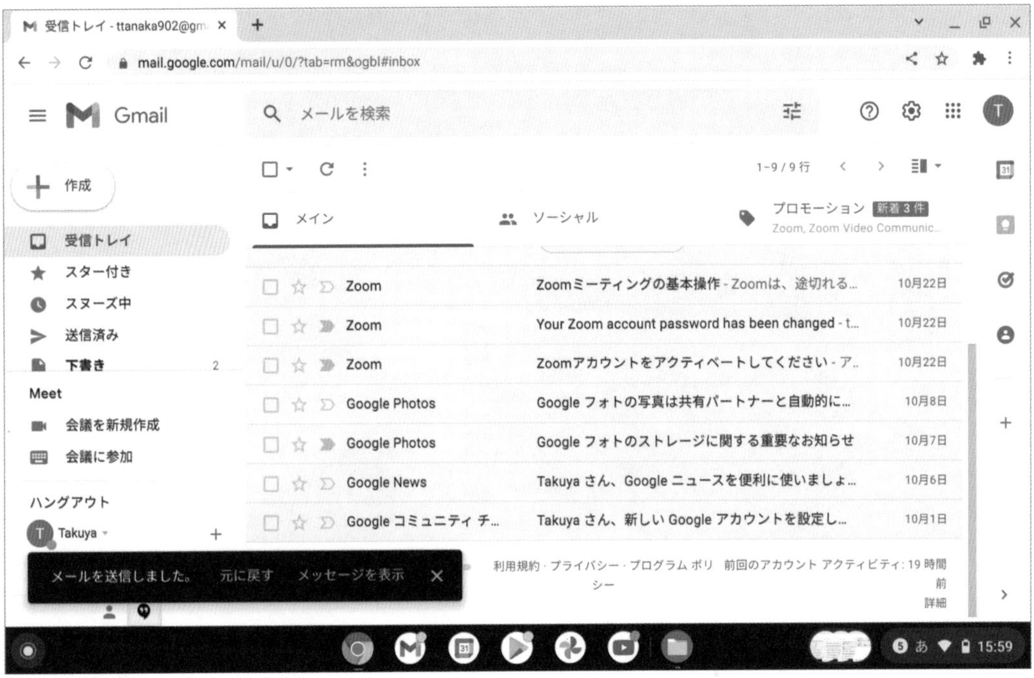

高性能な迷惑メールフィルタを搭載

Gmailを使っていると迷惑メールに出会う機会がほとんどありません。それはGmailが、高性能な迷惑メールフィルタを備えており、受信トレイに届く前に迷惑メールを仕分けているからです。迷惑メールをあとから確認することや、間違って仕分けられたメールを学習し直すことも可能です。

15GBの容量が無料で使える

Googleアカウントを作成すると、15GBの容量が無料で使えます。Googleフォトの写真や、Googleドライブのファイルと共用ですが、メール用の容量としては膨大といっていいサイズです。なお、使っているうち自然とメールはたまってしまいますが、Googleの検索エンジンを使って、いつでもすばやく取りだせるのもGmailならではのメリットです。

複数のアカウントが使える

複数のGoogleアカウントをもっている場合でも、アカウントを追加してメールを読み書きできます。Chromebookでは、ログオフしなくても複数のアカウントを切り替えてメールを送受信できます。

仕分け機能でメールを仕分け

Gmailにはフォルダがない代わりに「アーカイブ」や「ラベル」を使ってメールを整理します。「フィルタ」を使い込むと届いたメールを自動で仕分けることが可能となり、重要なメールとそうでないメールを簡単に区別できます。

Outlookとの違いは？

Windowsで使われているメールアプリといえば、「Windows11/10 メールアプリ」や「Outlook」です。特にOutlookは、会社などで導入されている「Office 365」と連携しやすいのが特徴です。Office 365と連携することで、予定をスケジュールに登録したり、タスクを管理したりということも簡単にできます。

Outlookで送受信するメールに、Microsoft アカウント（Outlook.com アカウント）を登録している人も多いでしょう。Microsoftアカウントは、Windowsに組み込まれているため、最初から利用できるようになっています。しかしOutlook自体は、Microsoftアカウントだけでなく、ほかのメールアカウントを追加して利用することも可能で、この点はGmailと同じです。

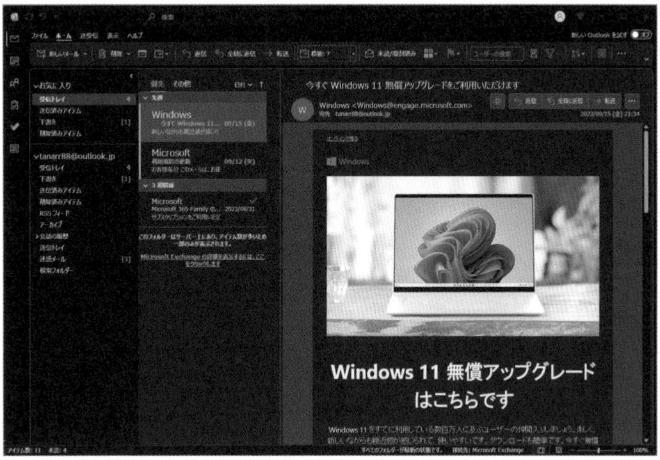
今すぐ Windows 11 無償アップグレードをご利用いただけます
Windows 11 無償アップグレード
はこちらです
Outlook

section 02

Gmailの画面構成を知ろう

Chromebookでは、アプリ版とWeb版の2つでGmailが利用できます。ここでは普段使い慣れているWeb版のGmailを使って解説していきます。アプリ版のGmailとは画面構成が異なるので、そのあたりをまずは確認しておきましょう。

Gmailを表示する

1 「Gmail」をクリックする

Chromeブラウザを起動して、トップ画面にある「Gmail」をクリックします。

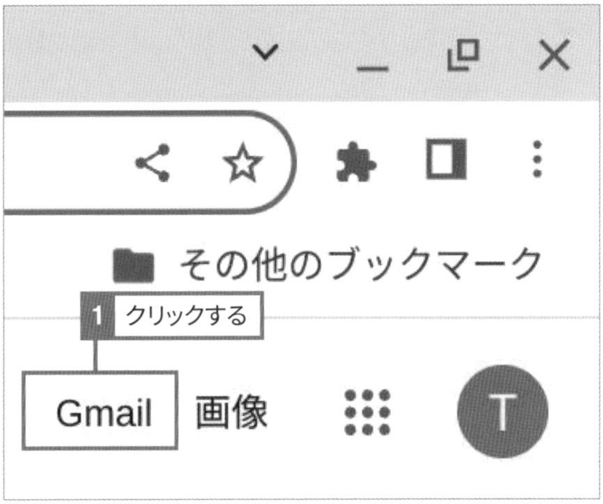

MEMO

「Gmailのデスクトップ通知を有効にしてください」と表示された場合、「OK」をクリックします。新着メールが届いたときにデスクトップに通知が表示されます。

コラム

アプリ版Gmailとの違い

Chromebookにはアプリ版のGmailもあります。画面の狭いChromebookの場合、Web版のGmailではごちゃっとした印象を受けるかもしれません。アプリ版のGmailは、ボタン類が普段は見えないように隠されていてシンプルです。フィルタ機能など細かい設定はできませんが、届いたメールの確認や、ちょっとした返信を書いて送るといった使い方にちょうどよいといえるでしょう。アプリ版のGmailは、ランチャーやシェルフから起動できます。

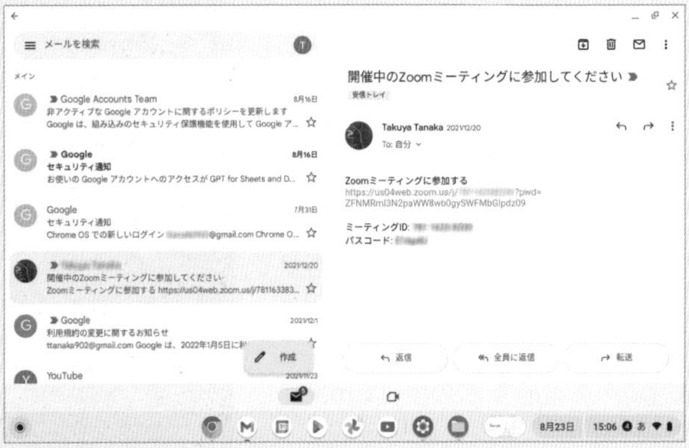

Gmailの画面構成（Web版）

Gmailでは、すべてのメールを一度に見ないですむように、受信トレイに届いたメールが「ソーシャル」や「プロモーション」などのタブに分類されます。

❶ 作成
新しいメールを作成します。

❷ メインメニュー
「アーカイブ」や「ゴミ箱」などのメニューが表示されています。（画面左の三本線のアイコン）で小さく格納できます。

❸ 検索
メールを検索します。細かく絞り込むための検索オプションが利用できます。

❹ 設定（歯車のアイコン）
Gmail をカスタマイズするクイック設定やすべての設定を表示します。

❺ 選択
メールを選択します。メニューから条件をつけられます。

❻ 更新
最新の状態に更新します。

❼ 操作メニュー
選択したメールを操作するためのメニューです。

❽ カテゴリ
「メイン」「ソーシャル」「プロモーション」の 3 つのカテゴリを切り替えます（初期状態）。

❾ スレッドリスト
受け取ったメールやスレッドが表示されます。スレッドとは、返信したメールをグループにまとめたものです。

❿ Mail & Meet
Gmail と Google Meet を切り替えます。

⓫ サイドパネル
「カレンダー」「Google Keep」「タスク」「連絡先」を呼びだします。ほかのアドオンを追加することもできます。

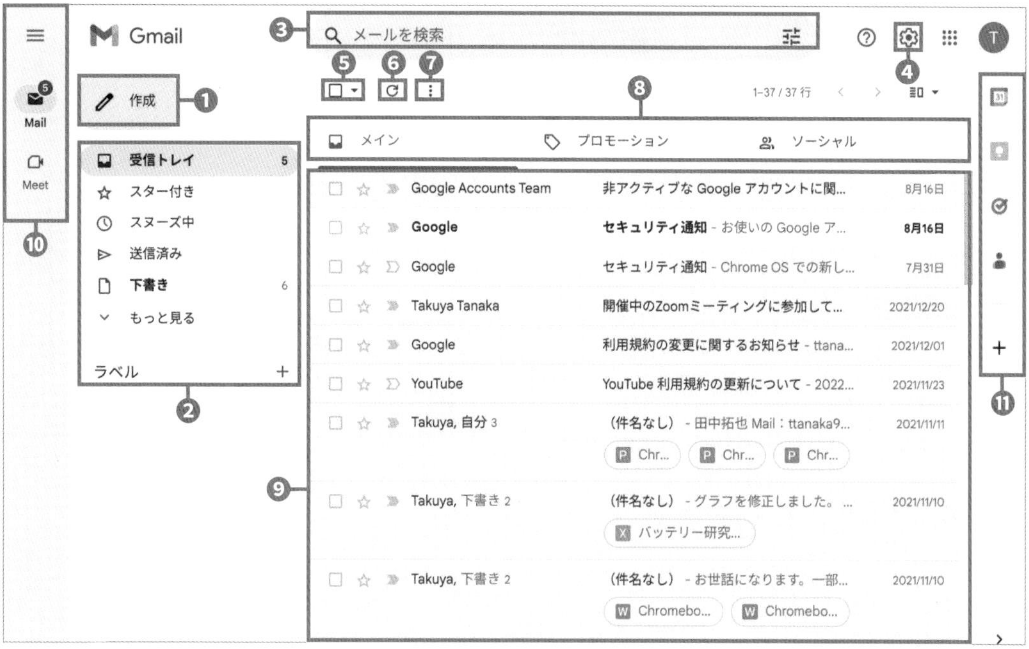

section 03

Gmailのメール作成と送信方法を覚えよう

新しいメールを作成して送信してみましょう。Web版のGmailはメールの作成画面が小さく表示されるので、全画面表示にすると操作しやすくなります。またGmailには、送信日時を指定して送信する機能や、送信直後に送信を取り消す機能があります。

新しいメールを作成して送信する

1 「作成」ボタンをクリック

「作成」ボタンをクリックします。

2 編集画面を最大化する

宛先が空白のメールが作られます。右上の「全画面表示」をクリックすると、少し大きな画面でメールを作成できます。

MEMO

「その他のオプション」→「全画面表示をデフォルトにする」で次回以降も全画面表示になります。

3 「送信」をクリックする

宛先と件名、本文を書いたら、「送信」ボタンをクリックしてメールを送信します。作成途中でほかの作業をしたくなったときは、いつでも「X」を押して前の画面に戻れます。メールは「下書き」に保存されます。

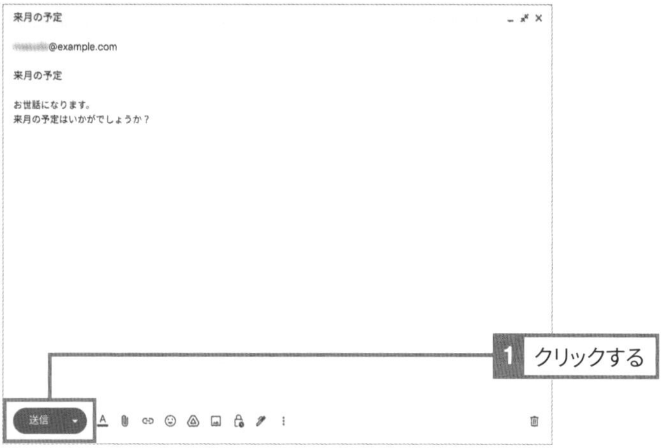

MEMO

「送信」ボタンの端にある「▼」をクリックすると、送信日時を指定できます。夜遅くに書いたメールを朝一番で送信したいときなどに利用できます。

4 メールが送信される

メールが送信されました。送信した直後、画面左下に表示される「元に戻す」をクリックすると、メール送信をキャンセルできます。「元に戻す」は初期設定では5秒間表示されます。

MEMO

「元に戻す」を表示する時間は最大30秒まで延ばせます。詳しくはP.98を参照してください。

コラム

絵文字ピッカーを使う

「検索」+「Shift」+「スペース」キーを押すと絵文字ピッカーが表示されます。メールに絵文字を入力したいときに活用してください。絵文字ピッカーでは、スマイリーや矢印、顔文字などさまざまな絵文字が登録されています。

「検索」+「Shift」+「スペース」キーを押す

section 04

ファイルの添付されたメールを送受信する方法を覚えよう

Googleドライブや Chromebook内にあるファイルや写真をGmailに添付して送信してみましょう。ファイルやファイルへのリンクを簡単に挿入できます。また送られてきた添付ファイルをGoogleドライブや端末にダウンロードして、あとで利用する方法も知っておきましょう。

ファイルを添付する

1 クリップのアイコンをクリックする

メールを作成し、「ファイルを添付」のアイコンをクリックします。

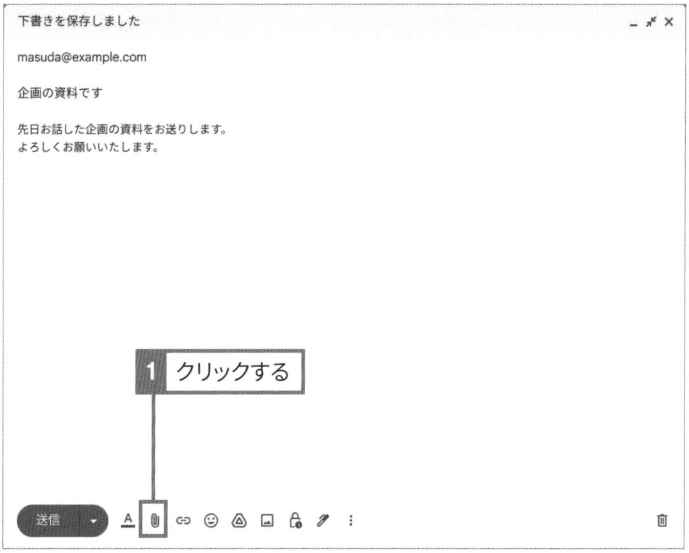

2 ファイルを選択する

送りたいファイルを「マイファイル」や「Google ドライブ」から選んで「開く」をクリックします。Gmailでは1件のメールにつき、25MBまでファイルを添付できます。

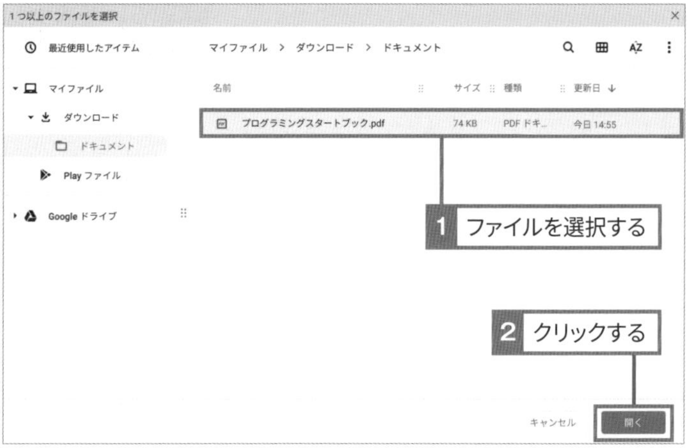

MEMO 受信可能な添付ファイルの最大サイズは50MBです。

3 ファイルが添付される

ファイルがメールに添付されました。「送信」ボタンをクリックしてメールを送信します。

MEMO

ドキュメント、スプレッドシート、スライドで作成したファイルを送りたい場合は、「ドライブを使用してファイルを挿入」をクリックして、ファイルを挿入します。この場合ファイルの実体ではなく、リンクファイルが送信されます。

添付ファイルをChromebookにダウンロードする

1 添付ファイルをダウンロードする

添付ファイルつきのメールを開いて、ファイルにカーソルをあわせます。「ダウンロード」をクリックします。

MEMO

「ドライブに追加」をクリックすると保存先をGoogle ドライブに指定できます。写真の場合は「フォト」をクリックしてGoogle フォトへ保存できます。

2 ファイルがダウンロードされる

ダウンロードが完了すると通知が表示されます。ダウンロードしたファイルは「ファイル」アプリの「ダウンロード」に保存されます。

section 05

メールの受信・返信・転送方法を覚えよう

新着メールが届くと、デスクトップやシェルフにあるGmailアイコンに通知が表示されます。ここでは受け取ったメールを読んだり、返信したりする方法を紹介します。必要な場合はほかのユーザーにメールを転送することも可能です。

メールを受信する

1 Gmailを起動してメールを受信

デスクトップ通知がオンの場合やGmailのアイコンにマークがついたら新着メールが届いています。ブラウザを起動してGmailを表示します。

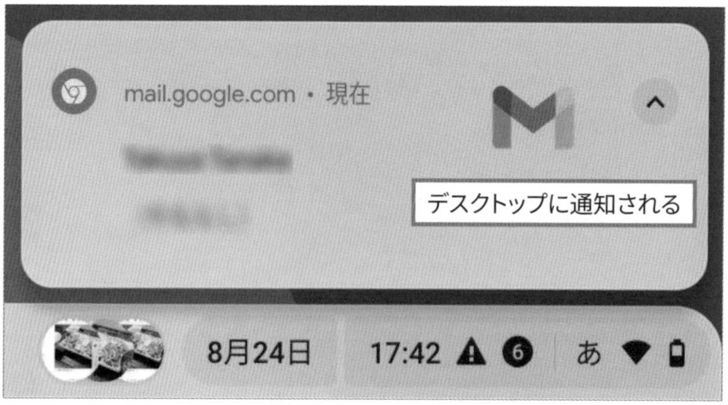

MEMO

通知をクリックするとGmailアプリが開きます。ここではWeb版のGmailを利用しているので、ブラウザからGmailを開きます。なおデスクトップ通知をオフにしている場合、通知は表示されません。

2 メールを開く

スレッドの一覧に新しく届いたメールが表示されているのでクリックします。

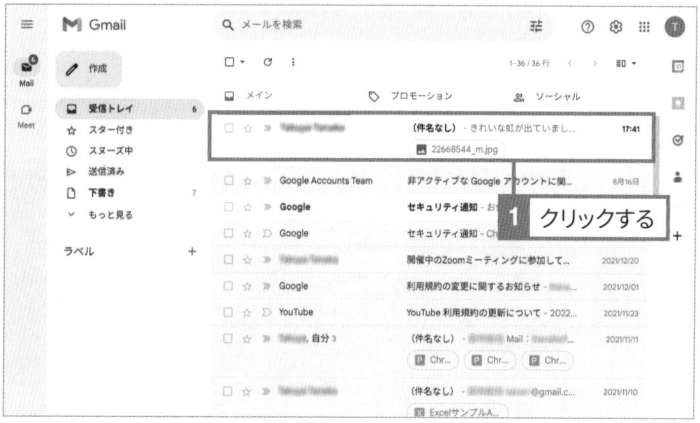

MEMO

普段はあまり使用しませんが「更新」ボタンをクリックすることで新着メールを手動で受信することもできます。

3 メールが表示された

メールの内容が表示されます。添付ファイルをクリックすると、ビューアが開いて大きく表示できます。ファイルをダウンロードする方法はP.89で解説しています。

メールに返信する

1 「返信」ボタンをクリックする

メールを表示して「返信」ボタンをクリックします。返信の候補が表示されている場合は、こちらをクリックすると返信の書きだしを自動入力してくれます。

MEMO
メールを転送したいときは「転送」をクリックします。CcとBccメールを作成できます。

2 返信を送信する

宛先と件名が入力ずみのメールが作成されるので、本文を入力します。「送信」ボタンをクリックすると、メールが送信されます。

MEMO
返信元のメールの内容を引用するときは、[⋮]をクリックして元のメールを表示します。

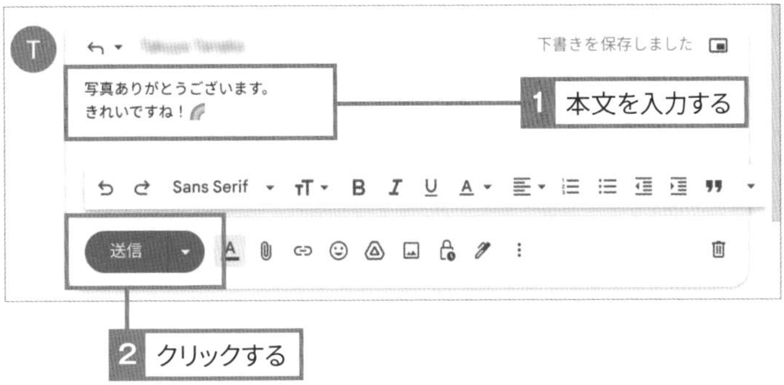

section 06 連絡先を利用してメールのやり取りを楽にしよう

よく連絡する相手を連絡先に登録しましょう。連絡先には会社名や電話番号、住所などの情報も記録できます。複数の連絡先がある場合、まとめて管理することでメールの作成やビデオ通話などを簡単に開始できます。ここでは、相手のメールから連絡先へ登録する方法を説明します。

メールから連絡先に登録する

1 相手のアイコンにカーソルをあわせる

メールを開いて、アイコンの上にカーソルをあわせます。受信トレイのリストから操作する場合は、相手の名前にカーソルをあわせてもかまいません。

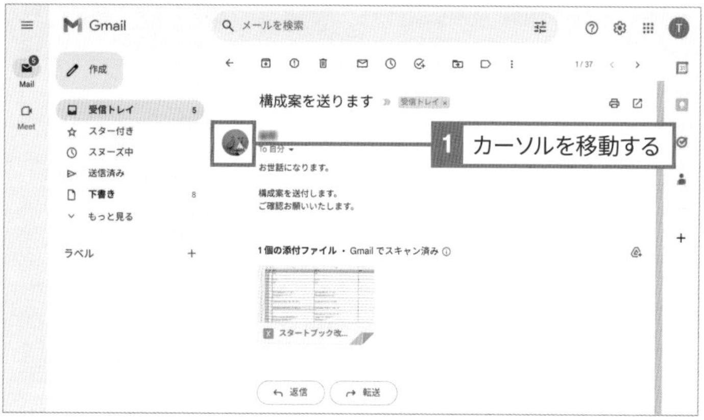

2 「連絡先に追加」をクリックする

「連絡先に追加」をクリックします。

3 「連絡先を編集」をクリックする

連絡先に追加されます。連絡先の内容を編集するには、「連絡先を編集」をクリックします。

4 必要な項目を入力する

連絡先のページが表示されます。姓名やよみがななど、メールアドレス以外の項目を入力し、「保存」をクリックします。最後に連絡先のタブを閉じて終了です。

MEMO

「もっと見る」をクリックすると、住所や誕生日などの情報を追加できます。メールアドレスが複数あるときは、項目の端にある「+」をクリックして追加します。

連絡先からメールを作成

1 新規メールを作成する

新規メールを作成してから、宛先欄に名刺やアドレスの一部を入力します。候補の相手が表示されたらクリックすると、メールアドレスが自動で入力されます。

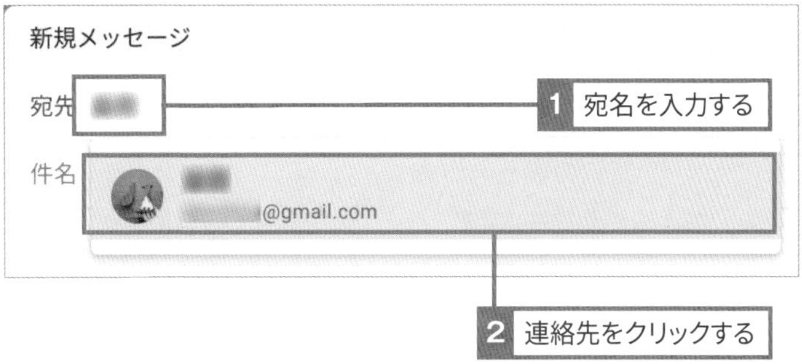

section 07

署名を利用してメールのやり取りを楽にしよう

メールに挿入する署名を作成してみましょう。Gmaiilでは新規メールと返信/転送メールのそれぞれで違う署名を設定できます。1つの署名を使いまわしてもいいですし、違う署名を用意して使い分けることもできます。

署名を作成しよう

1 「すべての設定を表示」をクリックする

歯車のアイコンをクリックすると、クイック設定が表示されます。「すべての設定を表示」をクリックします。

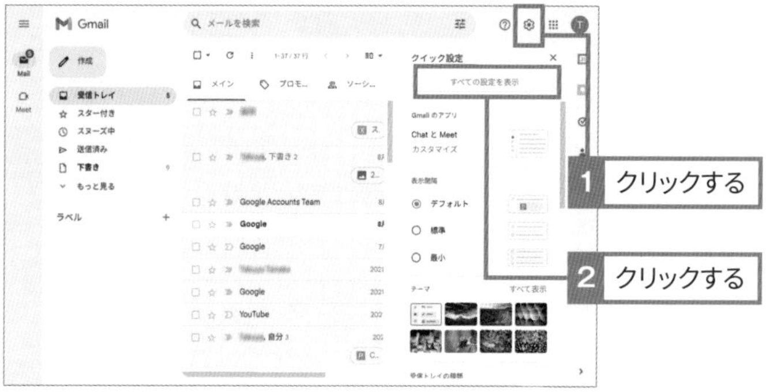

MEMO

クイック設定には受信トレイの外観を変更する設定が用意されています。

2 「署名」をクリックする

「全般」タブが表示されるので、画面をスクロールします。「署名」にある「新規作成」をクリックします。

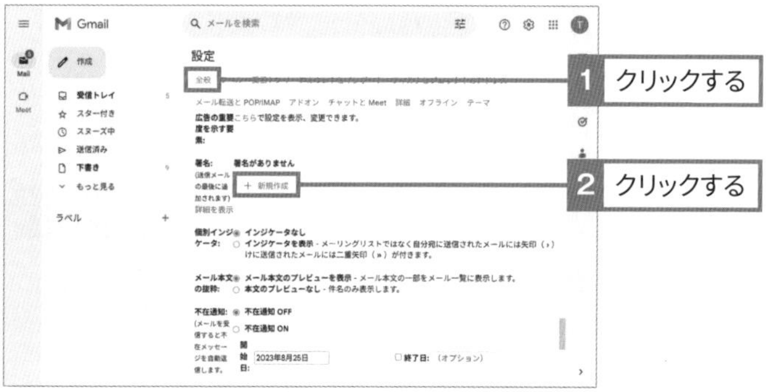

3 署名に名前をつける

署名に名前をつけて「作成」をクリックします。複数の署名を作成し、切り替えるときに使います。

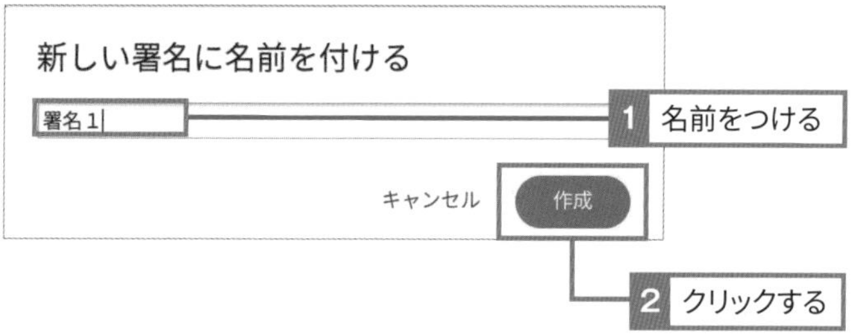

MEMO

複数のアカウントを追加している場合はアカウントごとに署名を作成できます。

4 署名を登録する

メールに挿入したい署名を入力します。続けて「新規メール用」と「返信/転送用」に今作った署名を指定します。「新規メール」と「返信/転送用」で署名を使い分けるときは、手順2の「新規作成」で新しい署名を追加します。

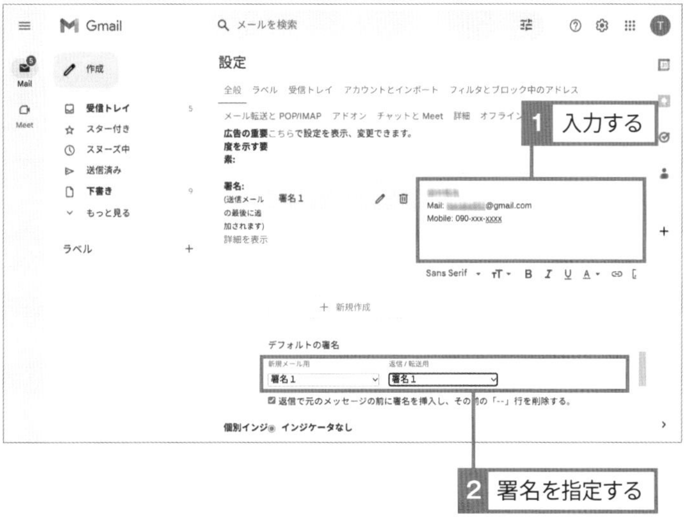

MEMO 署名を挿入する位置は、「返信で元のメッセージの前に署名を挿入し、その前の「--」行を削除する」で変更できます。好みで設定してください。

5 変更を保存する

画面の一番下までスクロールして「変更を保存」をクリックします。

6 署名を確認する

受信トレイに戻るので、「作成」ボタンをクリックします。署名が挿入されたメールが作成されます。

section 08

メールを検索しよう

Gmailではメールを整理する必要がありません。必要になったら検索で取りだせばよいからです。キーワードやメールアドレス、添付ファイルの有無など、さまざまな条件をつけられます。検索では、条件に当てはまるメールを自動処理する「フィルタ」も作れます。

メールを検索する

1 条件で絞り込む

検索ボックスにカーソルを移動してキーワードを入力します。検索を実行すると、瞬時に候補が表示されます。

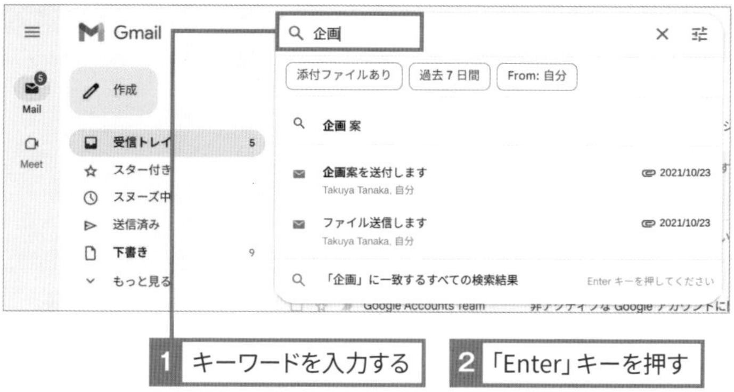

2 候補を絞り込む

検索候補が表示されました。候補が多いときは、検索ボックス下に表示されているオプションをクリックして、メールを絞り込めます。

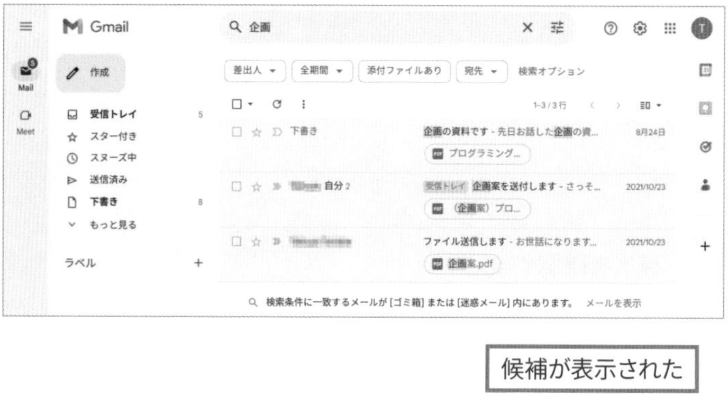

検索オプションを利用する

1 検索オプションを表示する

検索ボックスの右端にある「検索オプションを表示」をクリックします。

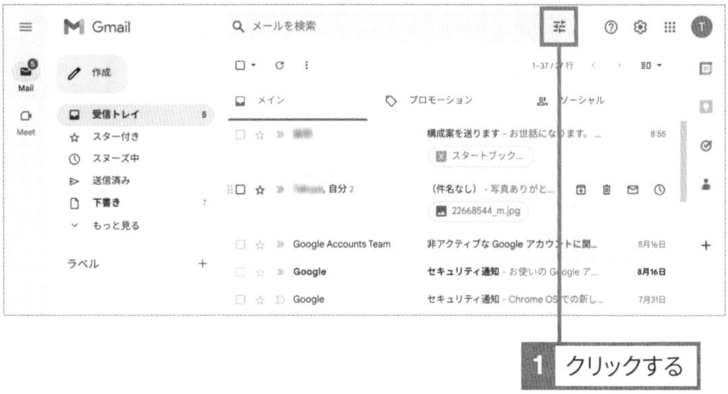

2 条件で絞り込む

検索オプションが表示されます。差出人(From)や宛先(To)のほか、サイズや日付などを指定できます。「検索」をクリックすると、指定した条件でメールを探せます。

コラム

アーカイブ

Gmailにはフォルダがありません。そのため受信箱がメールでいっぱいになりがちです。「アーカイブ」は、読み終わったメールなどを受信トレイから非表示にする機能です。削除するわけではなく、「すべてのメール」という場所で管理されており、必要になったときは検索で取りだします。

「アーカイブ」ボタンをクリックする

section 09

Gmailの設定を変更して使いやすくしよう

設定画面にある設定を変更して、Gmailをカスタマイズしてみましょう。ここでは、メール送信直後に表示される「取り消し」メニューを表示する時間を変更します。初期状態は5秒と短いですが、最長30秒まで伸ばせます。

送信取り消しの時間を延長する

1 すべての設定を表示する

歯車のアイコンをクリックしてクイック設定を表示したら、「すべての設定を表示」をクリックします。

2 取り消せる時間を変更する

「送信取り消し」にある「取り消せる時間」を好きな長さに変更します。

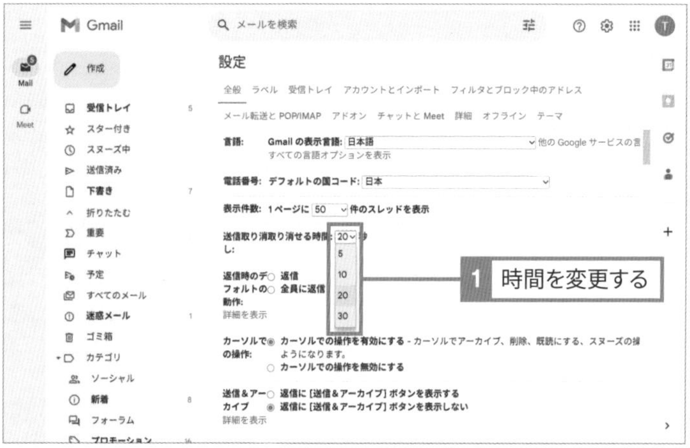

MEMO

設定には、外観や受信トレイを好みのスタイルに変更したり、ほかのアカウントを追加したり、さまざまなオプションが用意されています。

5

Chromebookを賢く使いこなそう
— ビデオ通話&会議編 —

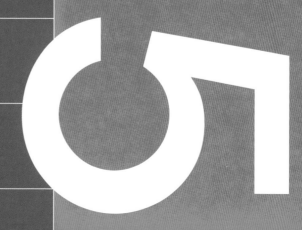

section 01

ビデオ通話&会議サービスについて知ろう

新型コロナウイルスの感染対策で一気に普及したのが、ZoomやGoogle Meet、Microsoft Teamsなどのビデオ会議サービスです。ただ人や会社によって使用するサービスが異なるため、この3つを使い分ける必要があります。まずはビデオ会議サービスの現状について解説しましょう。

ビデオ会議サービスの現状

専用の機器を使用しないビデオ会議サービスのシェアは、Zoomが過半数を占め、Microsoft Teams（以下、Teams）とGoogle Meet（以下、Meet）がそれを追うかたちとなっています。この三つ巴の状況は当分の間続くと考えられていますので、ビジネスでChromebookを使用する場合は、これらすべてを使えるようになっておかなければなりません。無料版では以下のとおり最大利用時間や機能に違いがあるため、“以前のビデオ会議はZoomだったが今回はMeetを指定された”ということが十分ありえるからです。

本書ではこのあと、この3つのビデオ会議サービスの基本的な使い方（ビデオ会議開催と参加方法など）を解説しますので、アプリをインストールしていつでも使える準備をしておきましょう。

<table>
<tr><th></th><th>Zoom無料版</th><th>Teams無料版</th><th>Meet無料版</th></tr>
<tr><td>1対1での
最大利用時間</td><td rowspan="2">40分</td><td rowspan="2">60分
（24時間 ※2）</td><td>24時間</td></tr>
<tr><td>3人以上の
最大利用時間</td><td>1時間</td></tr>
<tr><td>最大参加人数</td><td>100人</td><td>100人
（300人※2）</td><td>100人</td></tr>
<tr><td>画面表示数※3</td><td>25人</td><td>16人</td><td>9人</td></tr>
<tr><td>画面共有</td><td>〇</td><td>〇</td><td>〇</td></tr>
<tr><td>チャット</td><td>〇</td><td>〇</td><td>〇</td></tr>
<tr><td>ホワイトボード</td><td>〇</td><td>〇</td><td>×</td></tr>
<tr><td>ローカル録画</td><td>〇 ※1</td><td>〇</td><td>〇</td></tr>
</table>

※1 Chromebookの場合、空き容量に注意
※2 新型コロナウイルス感染対策期間中。2023年10月1日時点
※3 PCの場合

外付けWebカメラを増設する場合の注意点

Chromebookでは内蔵カメラを装備している製品がほとんどです。ただ、安価な製品の内蔵カメラの性能は低く、ビジネスで使うにはかなり難があります。この場合、外付けのWebカメラを増設するという方法がありますが、いくつかネックがあることも知っておくべきでしょう。

まずUSB Type-Aに接続する製品では、別途USBハブが必要になることがあること。Chromebook本体にUSB TypeAコネクタが備わっていて、そこが空いていれば大丈夫ですが、なければUSBハブ経由で増設しなければなりません。USBハブと外付けWebカメラを持ち運ぶ必要がでてくると、Chromebookの機動性が大きく低下するのもネックといえるでしょう。なおType-AをType-Cに変換するアダプタを使うという手もありますが、確実に使用できる保証はありません。

またWindowsやmacOSで使用する場合と異なり、ズーム（拡大）や調整などがほぼ不可能なこともネックの1つです。このため本体の取りつけ場所や別途三脚を用意するなどして、カメラに写る範囲を自分自身で調整する必要があります。

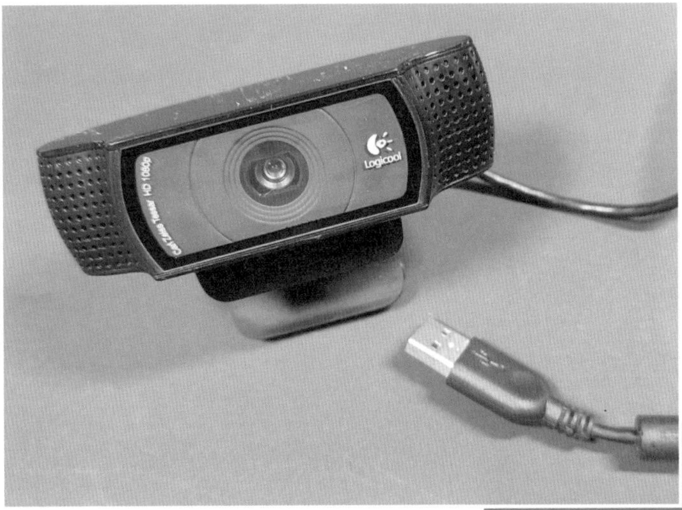

Type-AをType-Cに変換するアダプタを使えば、USB Type-A接続の外付けWebカメラをアダプタ経由でChromebook本体に接続することができるようになります

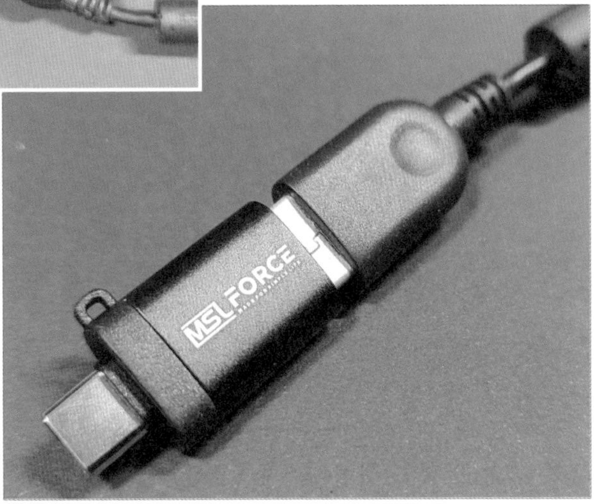

section 02 Zoom for Chromeを使えるようにしよう

Zoom はGoogleプレイから無料でインストールすることができますが、公式アプリが複数あるため、どれをインストールすればよいか迷うはずです。ここではChromebookに最適化された公式アプリ「Zoom for Chrome」のインストールから使い方までを解説していきます。

Zoom for Chromeを使えるようにする

1 Zoom for Chromeをインストールする

Google アプリで「Zoom」で検索し、「Zoom for Chrome」を選んでインストールします。

2 サインインする

Zoomのアカウントを作成していない場合は、「サインイン」を選びます。サインイン後、「パスワードを保存しますか？」で「保存」を選択すれば、次からは自動でサインインしてくれます。

③ Zoom for Chromeを開始する

サインイン後、Zoom for Chromeが使えるようになりますので、「開始」をクリックします。

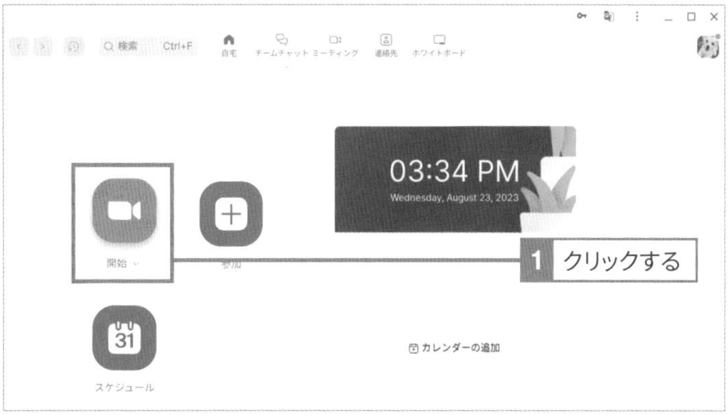

④ ミュートを解除し、ビデオを開始する

Zoom for Chromeの起動直後は、音が消えたミュート状態、カメラがOFFの状態になっていますので、「ミュート解除」と「ビデオを開始する」をクリックしてこれらを解除します。

⑤ Zoom for Chromeを開始する

　これでZoom for Chromeを使える準備が整いました。一度、「終了」をクリックして会議を終了しましょう。

※画像はハメコミです

section 03

Zoom for Chromeでビデオ会議を開催しよう

Zoom for Chromeが使えるようになったら、次はビデオ会議（ミーティング）を開催する方法を覚えましょう。会議に招待する方法は複数ありますが、ここでは招待URLを発行する方法と、ミーティングIDとパスコードを使った方法を解説します。

招待URLを使ってビデオ会議に招待する

1 招待URLを発行する

ビデオ会議を開催・参加する方法で一番簡単なのが、「招待URL」を使う方法です。Zoom for Chromeを立ち上げ、自身の「ミーティングID」から「招待状をコピー」をクリックします。

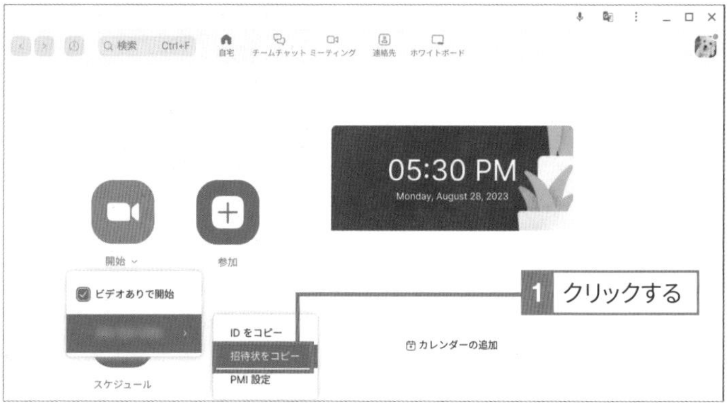

2 Gmailから招待状を送付する

Gmailで新規メールを「作成」し、コピーした内容を貼りつけます。ここで必要なのはURLだけで、URLを共有できれば全員がビデオ会議に参加することができます。なお不特定多数が参加する会議であれば、ミーティングIDとパスコードは絶対に削除してください。

MEMO

無料版では最大で40分しか会議を開催できませんので、延長したい場合は再度、URLを発行し直して参加メンバーに伝える必要があります。

ミーティングIDを使ってビデオ会議を開催・参加する

1 ビデオ会議に参加する場合

家族や親しい友人とのビデオ通話であれば、ミーティングIDとパスコードを共有する方法でもかまいません。ただし絶対に外部に流出しないよう注意してください。ここでは開催中の会議にゲストとして「参加」してみましょう。

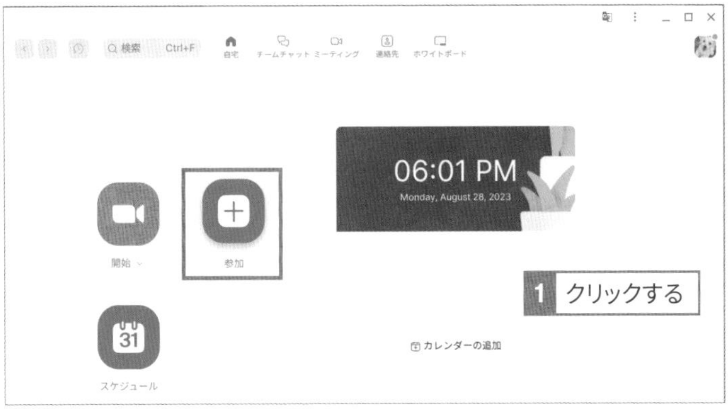

2 ミーティングIDを入力する

教えてもらったミーティングIDを入力します。

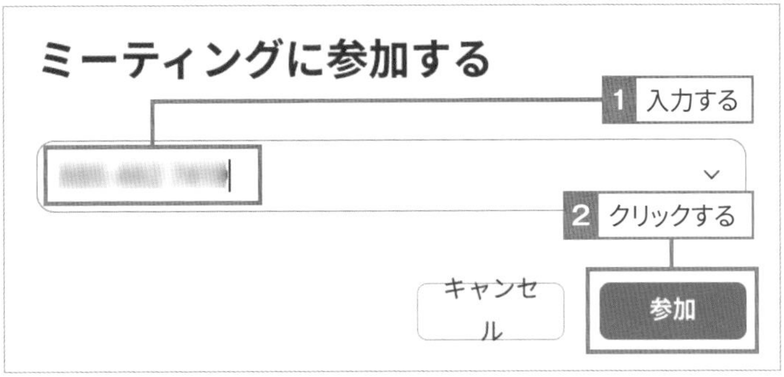

3 パスコードを入力する

教えてもらったパスコードを入力します。これでビデオ会議に参加することができます。

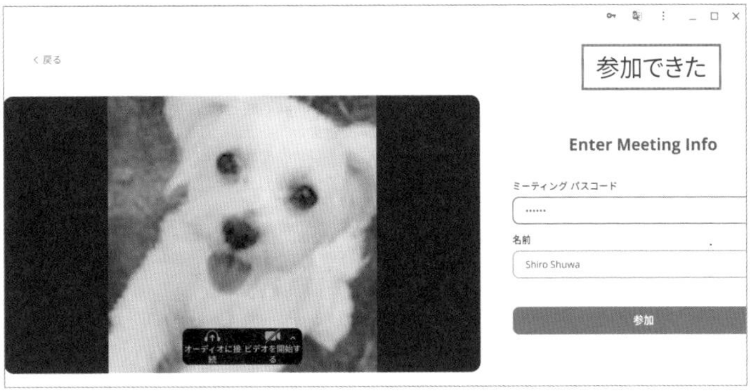

MEMO
無料版は、パスコードを変更することができません。万が一、外部に流出してトラブルが起きた場合は、違うメールアドレスで再度サインインするか、有料版に切り替えてパスコードを変更してください

section 04

Zoom for Chromeの各機能を覚えよう

Zoom for Chromeではバーチャル背景やチャット、ホワイトボードなどを利用することができます。ここではZoom for Chromeで用意されている機能と、もっとも使用頻度が高いと考えられるバーチャル背景の使い方について解説します。

Zoom for Chromeの主要機能

Zoom for ChromeはWindowsやmacOS用のZoomとはミーティングコントロールの構成や詳細が少々異なります。またローカルへの録画には対応していませんので、ビデオ会議の内容を残したい場合はWindowsパソコンを使用している人にホストを依頼しましょう。

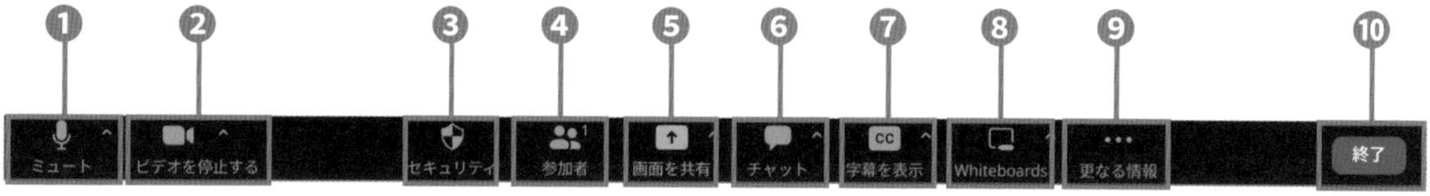

機能	
①	ミュート（消音）の解除やマイク、スピーカーの切り替え
②	カメラの切り替えやバーチャル背景の設定を行う
③	会議室をロックできる（ホストのみ）
④	参加者を確認したり、新たに招待する
⑤	チャットでやり取りする
⑥	字幕を表示する
⑦	ホワイトボード上でやり取りする
⑧	リアクションする
⑨	その他の設定
⑩	ビデオ会議を終了する

バーチャル背景を設定する

① ビデオの詳細メニューを表示する

背景の設定はビデオの詳細メニューからできますので、右側の「∧」をクリックして呼びだし、「背景を選択」をクリックします。

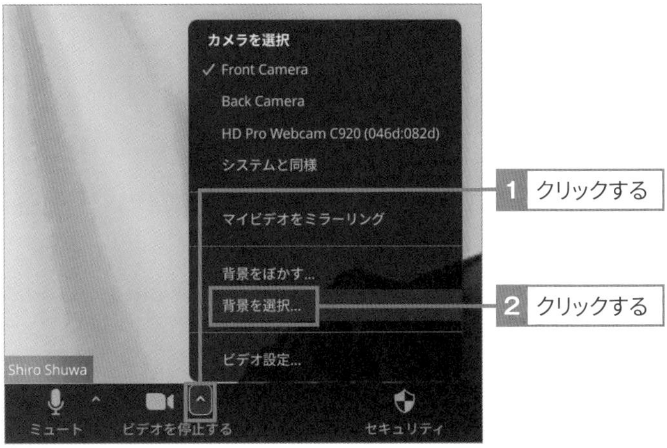

② 背景を選択する

Zoom for Chromeのデフォルトでは3種類の背景が用意されています。これを使用してもかまいませんが、自分で用意したい画像を使用したいときは、右上の「＋」をクリックして画像を追加しましょう。

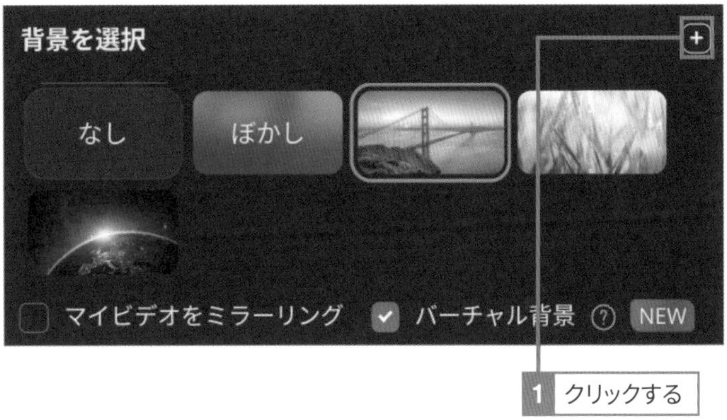

③ バーチャル背景を確定する

画像を追加したら背景も自動で変更されますので、これでよければ「×」をクリックして設定を閉じます。

MEMO
「マイビデオをミラーリング」をチェックすると画面が左右反転しますが、あまり使うことがない機能です。

section 05

定例開催のビデオ会議を設定しよう

Zoom for Chromeでは、毎週、同じ曜日・時間にビデオ会議を開催することも可能です。こうした定例開催の会議は、一度設定すればあとは自動で開催通知や詳細がメールで届くようになります。

ビデオ会議の設定をする

1 スケジュールを作成する

同じ曜日・時間にビデオ会議を開催する場合は、「スケジュール」から作成します。

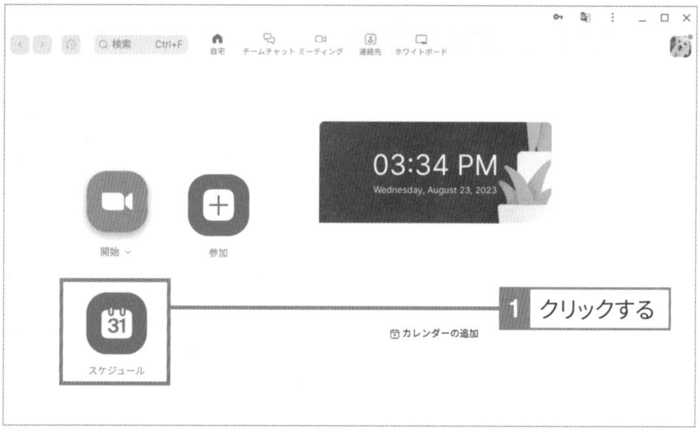

2 定例会議の詳細を入力する

定例会議の「名前(トピック)」や「開催日時」、「期間(会議の時間)」などを設定します。なおZoom無料版では最大の利用時間が40分なので、期間(会議の時間)は「45」にしておきましょう。

③ 会議メンバーを追加する

画面をスクロールさせると曜日や会議の終了日などを設定することができます。なお日本語化されていませんが、「Attendees」は参加者の意味です。ここでメールアドレスを指定すると定例会議の詳細を共有することができます。

④「ビデオ」を「オン」にする

「ビデオ」はデフォルトでは「オフ」になっています。ビジネスの会議であれば顔出しが基本なので、「オン」にしておきましょう。

⑤ カレンダーを連動させる

参加者がGoogleカレンダーやYahooカレンダーなどでスケジュール管理していれば、カレンダーに定例会議の情報を送信することもできます。カレンダーを使っていない人には「招待状をコピー」をクリックして、会議情報をメールで案内しましょう。

section 06

Google Meetを使えるようにしよう

ChromeOSの標準機能として用意されているGoogle Meetは、Zoom無料版よりも最大利用時間が長く、特に1対1のビデオ通話では最大24時間利用することができます。ここではMeetの基本的な使い方について解説します。

Google Meetの使い方

1 Google Meetを起動する

ランチャーをクリックし、「Google Meet」アプリアイコンをクリックします。

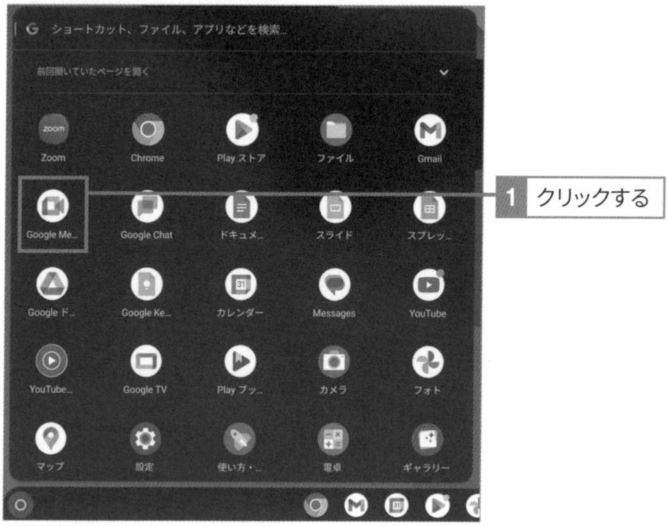

2 新しい会議を作成する

Google Meetが起動するので、「新しい会議を作成」をクリックします。

③ 「会議を今すぐ開始」をクリック

「会議を今すぐ開始」をクリックします。

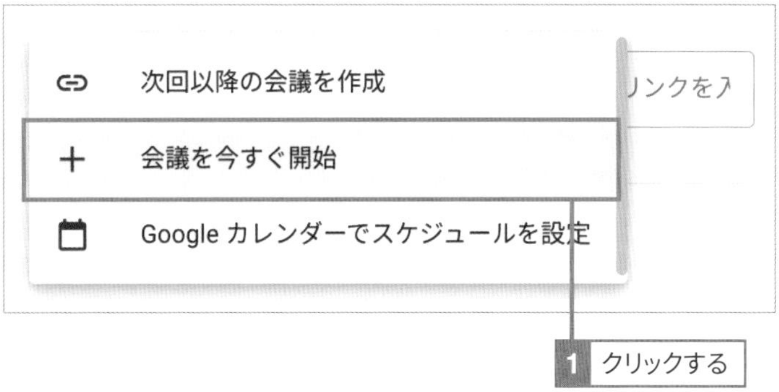

④ ユーザーを追加する

これでビデオ会議の準備ができました。あとは「ユーザーの追加」で会議の情報を参加者にメールするか、会議のリンクをコピーしてビジネスチャットなどに貼りつけて参加者と共有できれば、ビデオ会議を開催することができます。

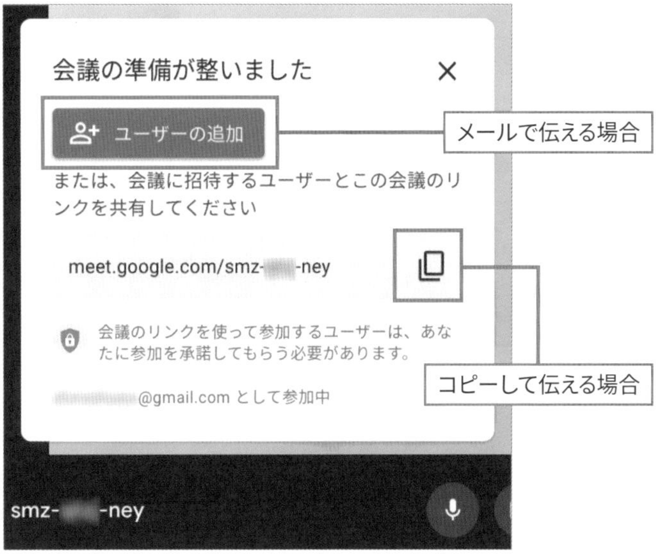

⑤ メールを送信する

参加者のメールアドレスが連絡先が登録ずみであれば、選択して「メールを送信」するだけで会議の情報を伝えることができます。

section 07

Google Meetのビジュアルエフェクトを使おう

Google Meetには「ビジュアルエフェクト」という、背景を変更する機能が用意されています。Zoomのバーチャル背景と似たような機能ですが、標準で用意されている「フィルタ」が多く、また「スタイル」で変装したりまったく違うキャラクターに変身できるなど遊び要素が増えているのが特徴です。

Google Meetの重要メニュー

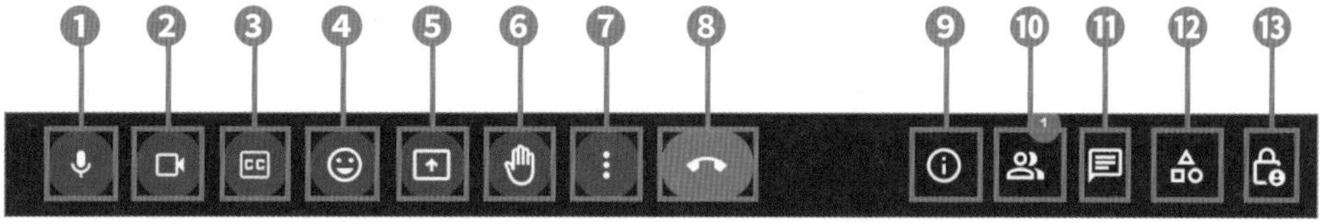

	機能
❶	マイクをオフにする
❷	カメラをオフにする
❸	字幕をオンにする
❹	リアクションを送信する
❺	画面を共有する
❻	挙手する
❼	その他のオプション
❽	通話（ビデオ会議）を終了する。または退出する
❾	使用せず
❿	チャットをする
⓫	ホワイトボードを利用する
⓬	ホストの場合は録画
⓭	主催者用設定メニュー

ビジュアルエフェクトを設定する

1 「ビジュアルエフェクトを適用する」をクリック

「その他のオプション」から「ビジュアルエフェクトを適用」をクリックします。

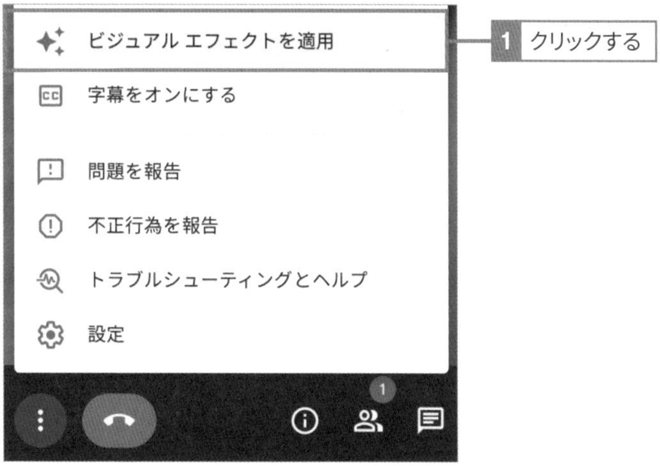

2 「フィルタ」を設定する

「フィルタ」を使えば背景を変更することができます。クロマキー合成用のグリーンバックがなくても、かなりの精度で人物部分の切り抜きを行ってくれます。

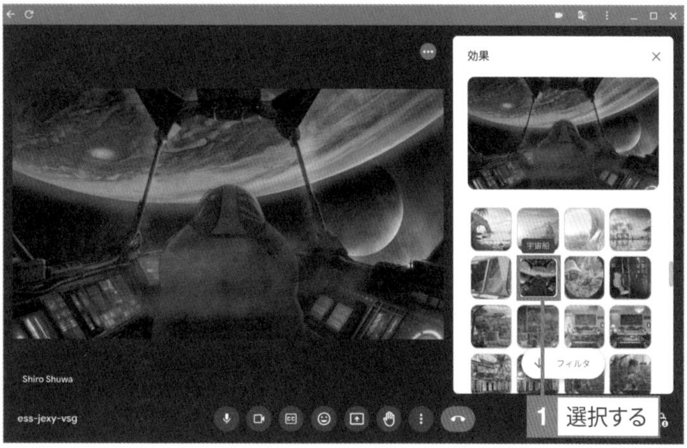

3 「スタイル」を設定する

「スタイル」を使えば帽子をかぶったり、かぶりものをしたり、エイリアンに変身したりすることなどができます。

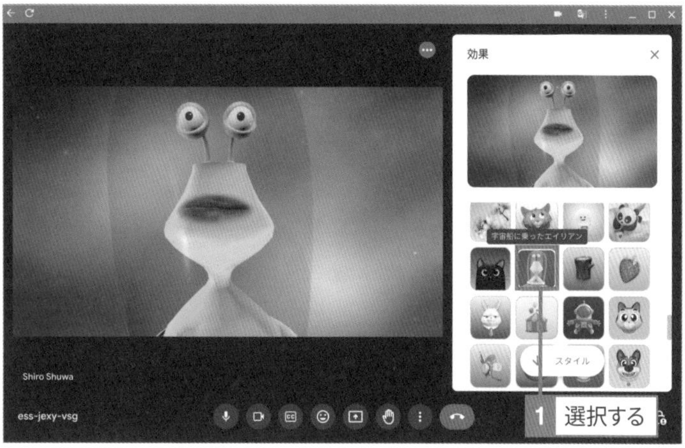

MEMO

Google Meetのビジュアルエフェクトは、「その他のオプション」から設定します。なおビジュアルエフェクトの機能はひんぱんに強化されていますが、2023年8月の時点では、残念ながらフィルタとスタイルを同時に適用することはできていません。今後の進化に期待です。

section 08 Google Meetで会議に参加しよう

ビジュアルエフェクトの設定は次回以降も自動で反映されますので、会議を開催・参加する前に行っておくことをオススメします。ただし会社やビジネスの打ち合わせなどでその必要がなければ、すぐに開催・参加してかまいません。

会議コードを入力して会議に参加する

1 会議コードを入力する

事前に会議コード（10文字のアルファベット）がわかっている場合は、Google Meetを起動して入力します。なお会議コードの「-」（ダッシュ）は省略してかまいません。

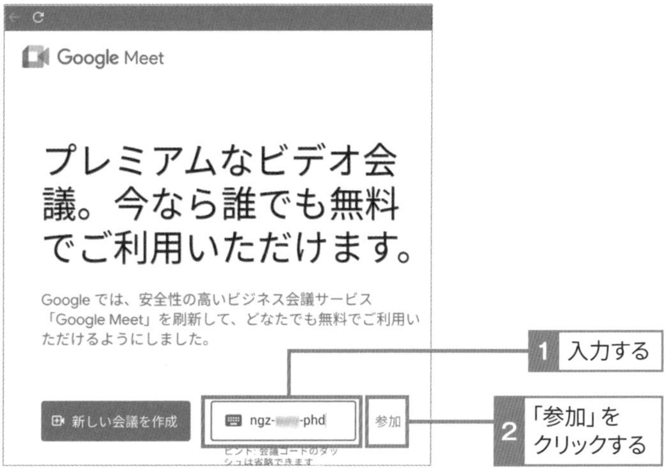

2 「参加をリクエスト」する

会議コードを入力した「参加をリクエスト」をクリックします。これでビデオ会議に参加することができます。

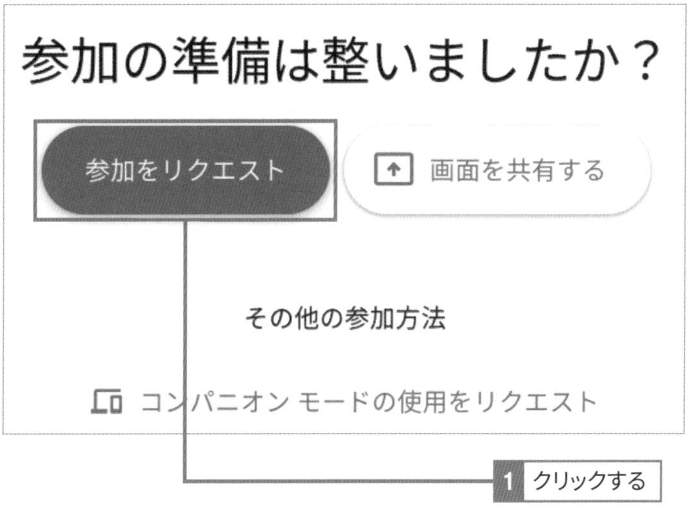

MEMO

同じ会議室で複数の参加者がいる場合、ハウリング（マイクとスピーカーが干渉して共鳴を起こす現象）に悩まされることがあるでしょう。この場合、「コンパニオンモードの使用をリクエスト」でコンパニオンモードに切り替えるとマイクとスピーカーが自動でオフになるのでハウリング問題を解消することができます。

招待メールから参加する

1 「通話に参加」をクリックする

招待メールが送られてきた場合は、「通話に参加」をクリックすればビデオ会議に参加することができます。

2 映像の位置や大きさを変更する

参加した直後は自分のカメラ映像が右下に小さく表示されますので、「︙」をクリックして映像の表示位置や大きさを変更しましょう。

コラム

ブラウザ版とアプリ版の違い

Google Meetにはブラウザ版やアプリ版があり、ブラウザ版は特にメニュー構成が異なるほか、ビジュアルエフェクトの変更ができません。ビジュアルエフェクトを有効にした状態で参加したい場合は、アプリ版から会議コードを入力して参加するようにしましょう。

ブラウザ版

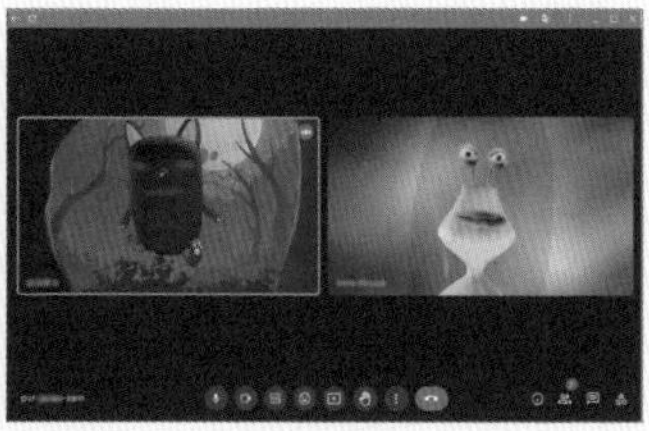
アプリ版

section 09

Microsoft Teamsを使えるようにしよう

Microsoft 365を導入している企業では、Microsoft Teamsを使ってビデオ会議を開催することが多いかと思います。こうした企業が主催するビデオ会議ではMicrosoft Teamsを指定されることがあるので、アプリをインストールして準備を整えておきましょう。

Microsoft Teamsをセットアップする

1 Microsoft Teamsをインストールする

Googleプレイで「Teams」を検索し、アプリをインストールします。

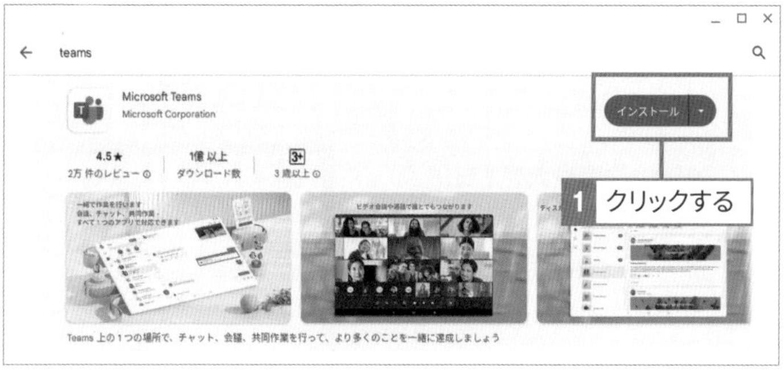

2 サインインする

Microsoftアカウントをもっている場合はそのアカウント情報を入力してください。おもちでない場合は、Chromebookで使用しているGoogleアカウント(Gmailアドレス)でサインインしていきましょう。

MEMO

Microsoft Teams アプリはChromebookと親和性が悪いのか、画面の表示が「電話」になってしまうことがあります。こうなった場合、横にある「▼」をクリックして「タブレット」に切り替えてください。

Microsoft Teamsでビデオ通話に参加する

1 ミーティングIDとパスコードを確認する

ビデオ会議の情報はリンクでやり取りするのが基本ですが、家族や親しい友人とのMicrosoft Teamsを使ったビデオ通話の場合は、ミーティングIDとパスコードを教えられることもあるでしょう。先にこの方法を解説しておきます。リンクを使う方法は次項の解説を参考にしてください。

MEMO

Microsoft TeamsのミーティングIDは13桁の数字で、パスコードは6文字の英文字です。

2 会議に移行する

Chromebook で Microsoft Teamsアプリを起動したら、「予定表」から「会議」へと移行し、「会議IDで参加する」をクリックします。

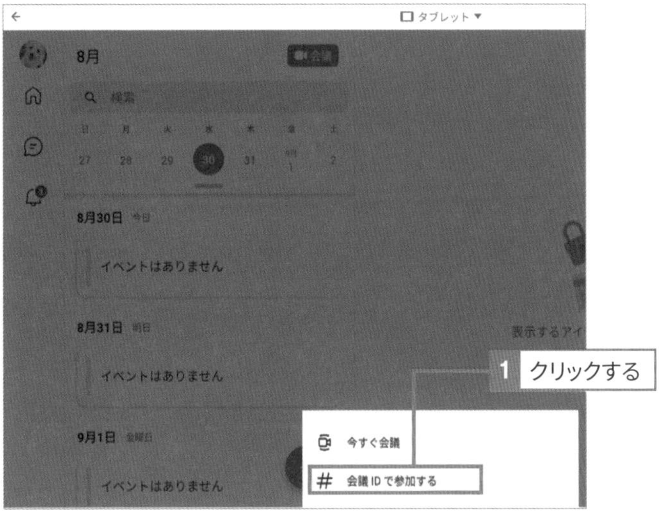

3 ミーティングIDとパスコードを入力する

教えてもらったミーティングIDとパスコードを入力したら「会議に参加」をクリックします。これでビデオ通話が始められます。

Microsoft Teamsで ビデオ会議を開催しよう

section 10

Microsoft Teamsはたんなるビデオ会議サービスではなく、ビジネス用コミュニケーションツールとして設計されています。ビデオ会議開催までの流れも、ZoomやGoogle Meetとは少々異なりますので、ここでしっかり覚えてください。

ビデオ会議を開催する

1 「予定表」をクリックする

Microsoft Teamsを起動した直後の画面にはビデオ会議を開催するためのボタンがありません。そこで左上のプロフィールアイコンをクリックしメニューを呼びだしたら、「予定表」をクリックします。その上にある「Teamsに招待する」は、今は無視してかまいません。

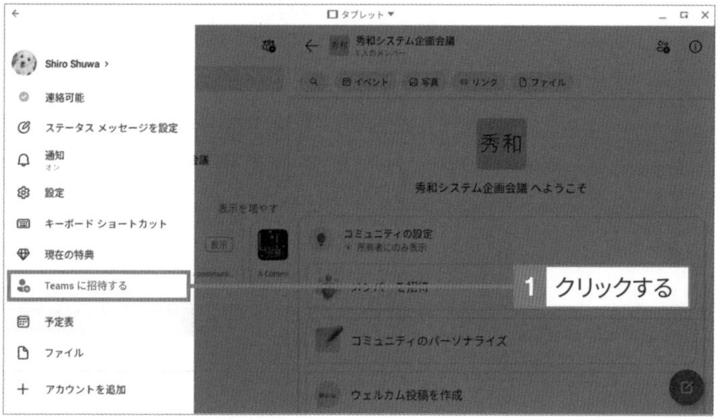

2 「会議」をクリックする

カレンダーの上にある「会議」をクリックします。

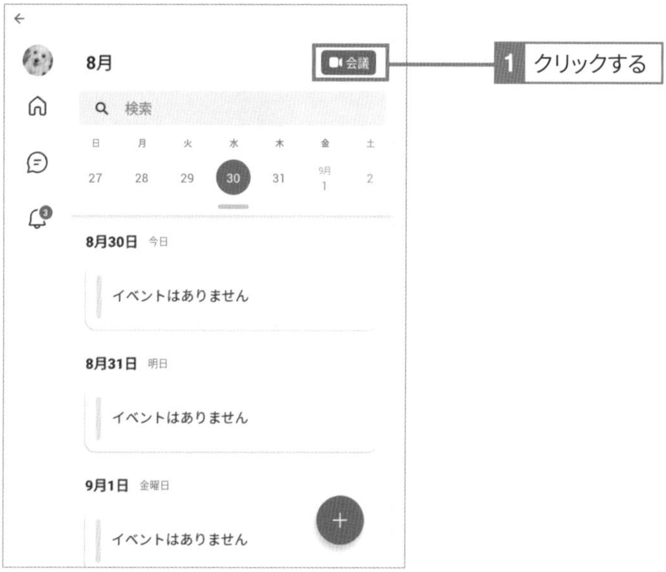

③「今すぐ会議」をクリックする

ポップアップメニューで「今すぐ会議」と「会議IDで参加する」が選べるようになるので、「今すぐ会議」をクリックします。

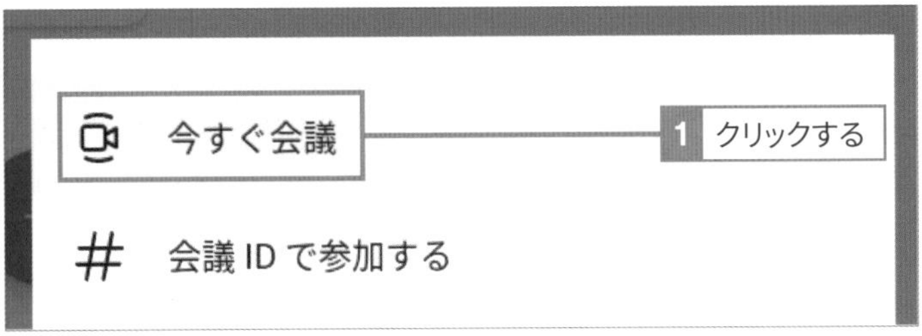

④「会議出席依頼を共有」から招待メールを送る

ビデオ会議の参加者には「会議出席依頼の共有」から招待メールを送ることができます。準備が整えば「会議を開始」をクリックします。

MEMO
招待メールには会議のリンクが貼られます。「会議のリンクのコピー」をクリックすればリンクがクリップボードにコピーされますので、それをビジネスチャットなどに貼りつけてもかまいません。

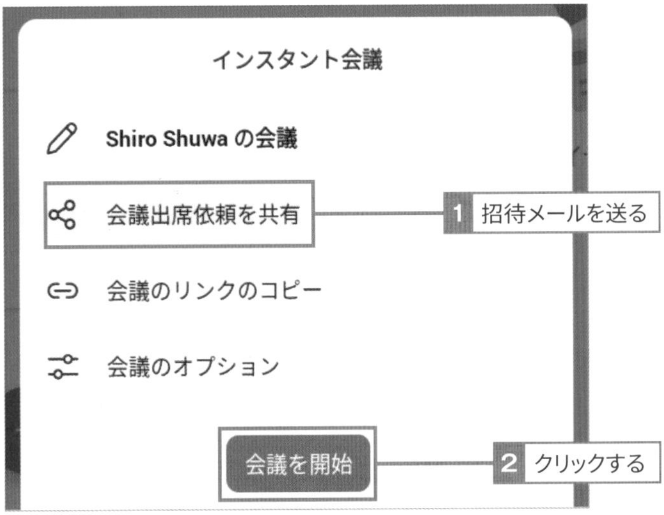

⑤ビデオ会議を開始する

ビデオ会議を開始したら画面が切り替わりますので、ここで「ビデオオフ」と「マイク オフ」をオンにしたら「今すぐ参加」をクリックします。

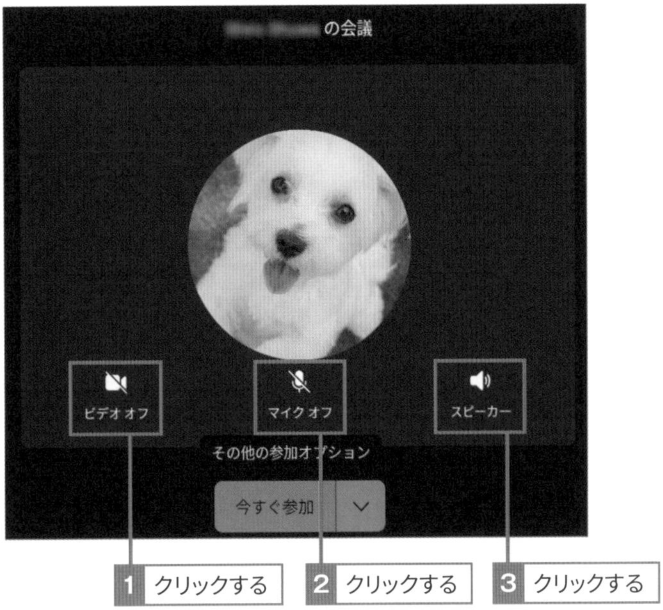

6 ゲストを参加させる

ビデオ会議を開始後、招待メールを送ったゲストが参加してくると、ロビーにて待機している旨のメッセージがでます。「ロビーを表示」をクリックしてゲストの名前を確認しましょう。

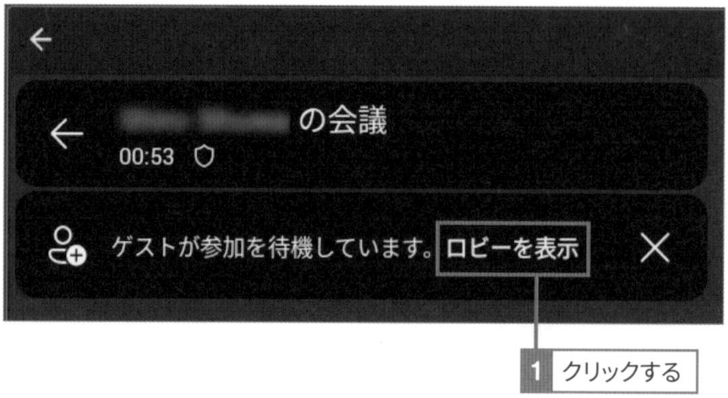

7 ゲストを「参加許可」する

ゲストの名前を確認したあと、「参加許可」をクリックします。まずないと思いますが、リンクが外部に漏れて見知らぬ名前があった場合は「辞退」をクリックしてください。

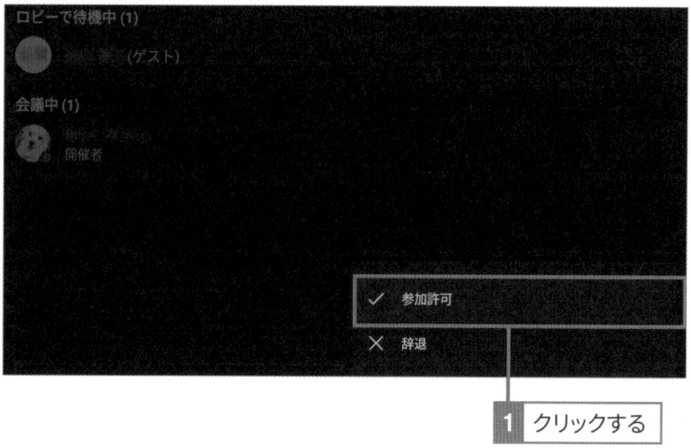

8 ビデオ会議を開始する

これでビデオ会議が始まります。ただ安価なChromebookでは動作が重く感じられることがあるので、相手がMicrosoft Teamsを指定しないかぎりは、Zoom for ChromeかGoogle Meetを使ったほうがよいでしょう。

6

Chromebookを賢く使いこなそう
― オフィスアプリ編 ―

section 01

Googleオフィスアプリでできること

Googleオフィスアプリでは、「ドキュメント」「スプレッドシート」「スライド」の3つのオフィスアプリが用意されています。Microsoft Officeと互換性があり、文書や表計算、プレゼンテーションの作成に活用できます。

Googleオフィスアプリとは

Googleオフィスアプリは、オンラインで動作する無償のオフィスツールです。「Googleドキュメント」「Googleスプレッドシート」「Googleスライド」の3種類あり、それぞれ、ワープロ、表計算、プレゼンテーションといった役割を担っています。Googleアカウントをもっていれば、15GBまで誰でも無料で使うことができ、コメントや共有機能を利用して、ほかのユーザーと同時に作業するのが得意です。オフィスアプリといえば、「Microsoft Office」シリーズが有名です。Googleオフィスアプリは、Microsoft Officeのファイルと互換性があり、Office向けに作られたファイルを読み込んだり、編集したりすることが可能です。

Googleのオフィスアプリは、ランチャーやブラウザから起動可能

Googleオフィスアプリの特徴

Googleドキュメントの特徴

文書の作成や編集が行えるワープロです。テキストの編集や目次の作成、校正作業など文書作成に必要な機能がひととおりそろっており、市販のワープロアプリにひけをとりません。ネットワーク環境のないオフラインでも一時的に編集できますが、作成した文書は基本的にオンラインに保存され、すべてブラウザ内で完結しています。

Googleスプレッドシートの特徴

さまざまな関数を利用してデータを計算処理したり、表やグラフを作成して分析を行ったりするためのスプレッドシートを作成できます。インターネットへの一般公開や共同作業を得意とし、多くのユーザーとデータを共有するような目的にピッタリです。

Googleスライドの特徴

プレゼンテーションを作成するアプリです。PowerPointで作成したファイルを読み込んで編集することもできます。ブラウザから利用できるため、PCやスマホなどさまざまな環境で呼びだして、プレゼンテーションを行えます。

Word、Excel、Powerpointとの互換性について知ろう

Googleのオフィスアプリは、MicrosoftのOfficeシリーズで作成したファイルをそのまま開いて編集できます。ただし、完全に互換性があるわけではありません。基本的に、Googleドキュメントやスプレッドシート、スライドがもっていない機能で作られたファイルは正しく表示されなかったり、編集できないことがあります。また図や写真、グラフなどが貼りつけられている場合、レイアウトが崩れて表示されることがあります。共有やコメントなどGoogleオフィスアプリの固有機能も制限されるので、Googleオフィスアプリの機能を利用したいときは、変換する必要があります。

Word形式のファイルを編集

section 02

Google オフィスアプリの画面構成を知ろう

Google オフィスアプリの起動の仕方や、ファイルの管理画面、編集画面の基本的な構成は同じです。ここではスプレッドシートを例に、アプリの表示方法や画面の見方を紹介します。

Google オフィスアプリを表示する

1 「スプレッドシート」をクリック

Google トップ画面の「Google アプリ」をクリックして、「スプレッドシート」をクリックします。

MEMO
「ドキュメント」「スライド」を選ぶと、Google ドキュメント、Google スライドを表示できます

2 Google スプレッドシートが開く

選択した Google オフィスアプリが表示されました。

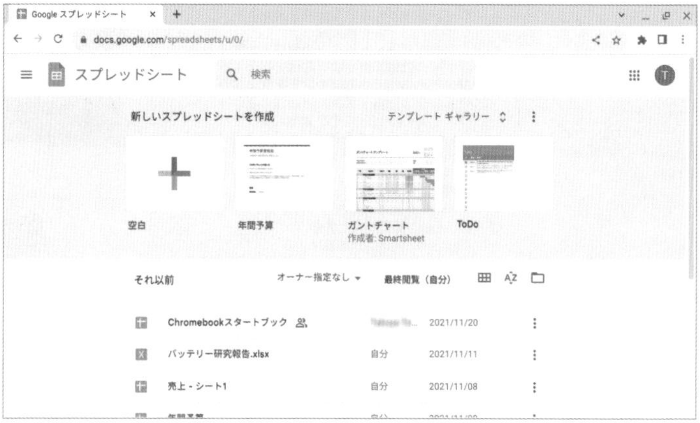

Officeアプリの画面の見方

新しいファイルの作成や、これまでに作成したファイルを管理します。

❶ **新しいファイルを作成**
新しいファイルを作成します。

❷ **最近使用したファイル**
作成したファイルが表示されます。

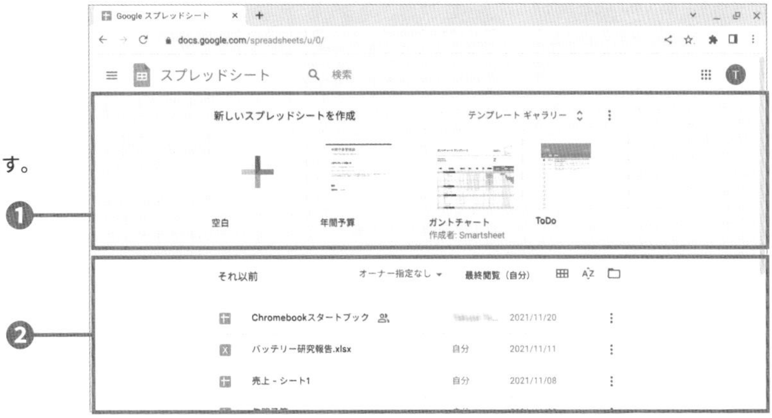

エディタ画面の見方

ファイルを開いて編集するときのエディタ画面です。

❶ **メニューバー**
　利用しているGoogleオフィスアプリで利用できる機能がまとまっています。

❷ **ツールバー**
　データの編集や書式の設定をするための機能がまとまっています。

❸ **編集画面**
　作業中のファイルを表示します。

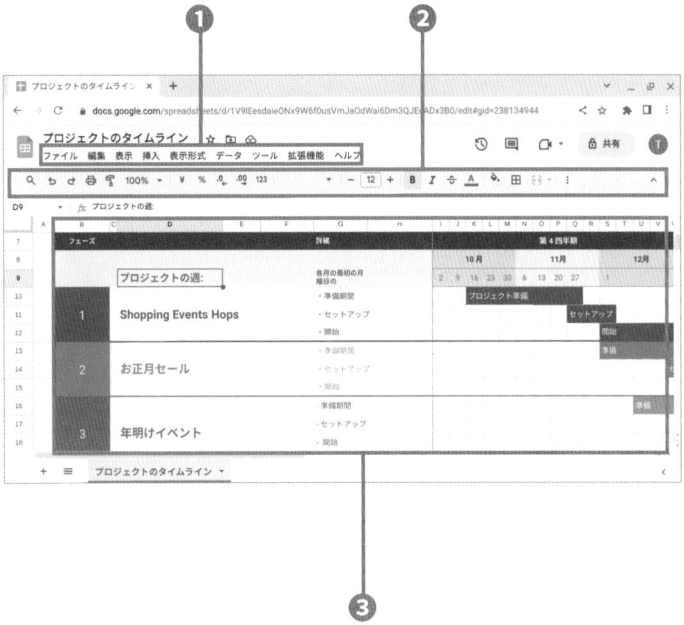

section 03

Googleオフィスアプリの基本的な使い方を知ろう

Googleオフィスアプリでは、Microsoft Officeのファイルを開くことができます。Googleドライブにあらかじめ保存しておいたファイルや、メールに添付して送られてきたファイルも簡単に読み込めます。

端末やオンラインにあるファイルを開く

1 ファイルを開く

ファイルアプリを開いて、マイファイルやGoogleドライブにあるファイルをダブルクリックします。

MEMO

ここではあらかじめGoogleドライブに保存しておいたファイルを開いています。端末のファイルを読み込んだ場合、Googleドライブへとアップロードされます。

2 Googleオフィスアプリが開く

ファイルが開きます。このとき「使い方ガイド」が表示されることもあります。編集した内容は自動で保存されます。

MEMO

Office形式のファイルをGoogleオフィス形式のファイルで保存するには、「ファイル」→「Googleスプレッドシート(アプリによって異なります)として保存」をクリックします。

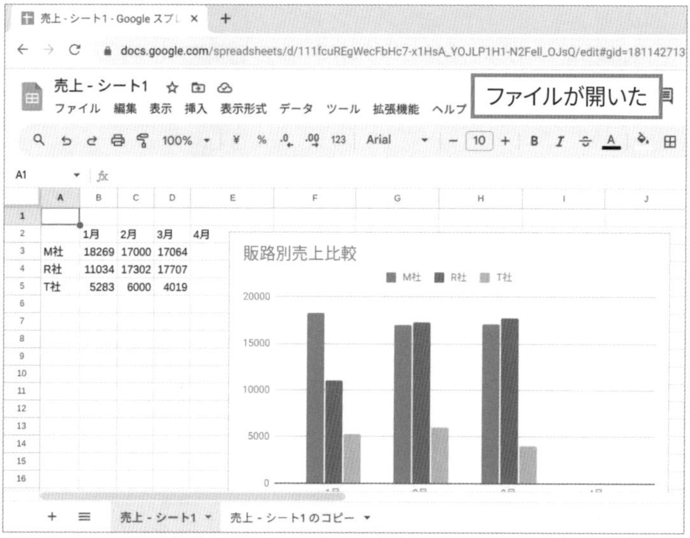

Gmailで受け取ったOfficeファイルを開く

1 添付ファイルを編集する

メールで受け取ったOfficeファイルを開く場合は、添付ファイルにカーソルをあわせて、編集ボタンをクリックします。

MEMO 添付ファイルをクリックするとビューアが表示されます。画面の上にある「アプリで開く」や「Googleスプレッドシート(アプリによって異なります)」をクリックすると、該当のアプリで編集できます。

2 Googleオフィスアプリが開く

ファイルが読み込まれます。画面はGoogleスプレッドシートです。

MEMO 添付ファイルはGoogleドライブへ自動的に保存されています。

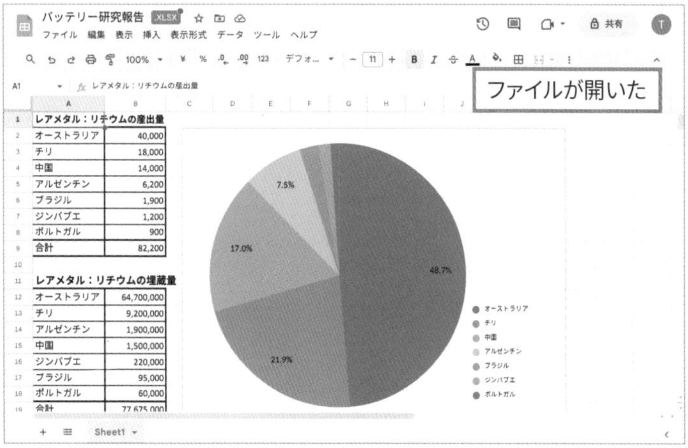

コラム

メールに添付して返信する

編集したファイルは、「ファイル」メニューから「メール」をクリックして、「このファイルを添付して返信」(または「このファイルをメールで送信」)の順にクリックすると、Gmailに添付して送信できます。

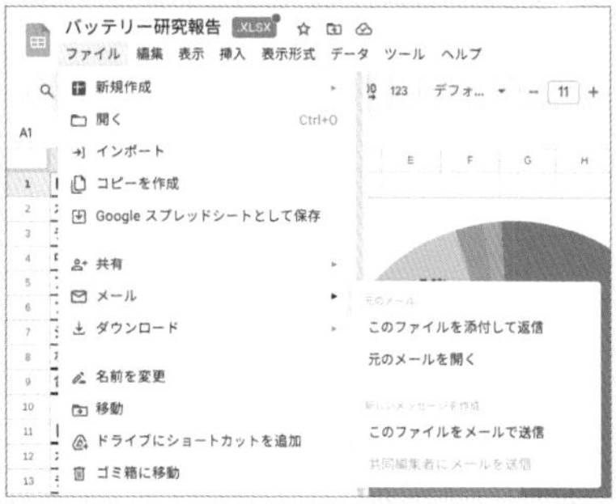

section 04

Google オフィスアプリでファイルを作成しよう

Google オフィスアプリで新しいファイルを作成します。空白のファイルを作成するか、またはテンプレートギャラリーからテンプレートを選んで作成します。テンプレートは仕事や生活で使えるものが数多くそろっています。

新しいファイルを作成する

1 新しいドキュメントを作成する

Google オフィスのアプリを開いて、「新しいスプレッドシート（アプリによって異なります）を作成」にある「空白」をクリックします。

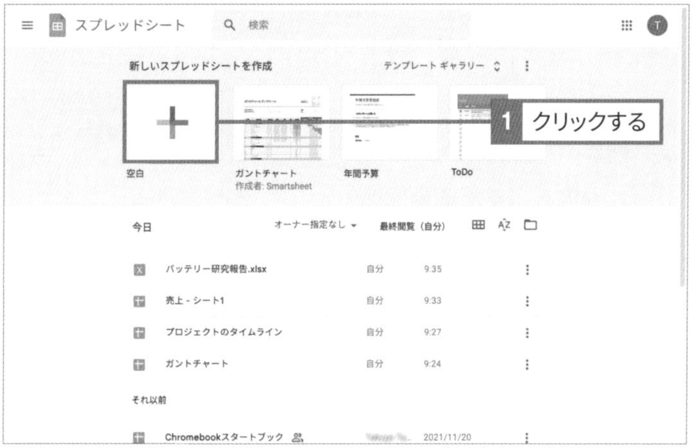

2 ファイルが作成される

新しいファイルが作成されました。

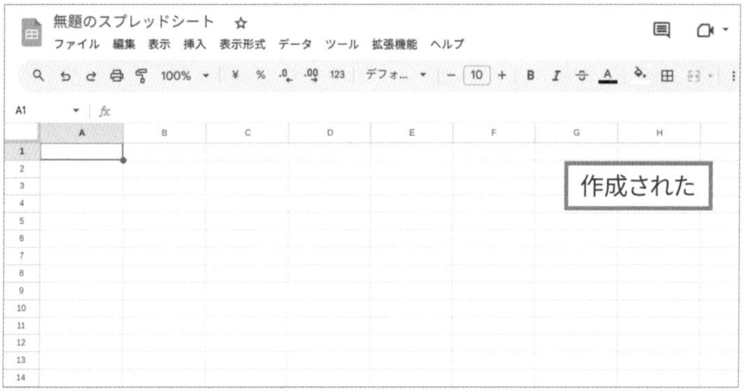

テンプレートから作成する

1 テンプレートギャラリーを開く

「テンプレートギャラリー」をクリックします。

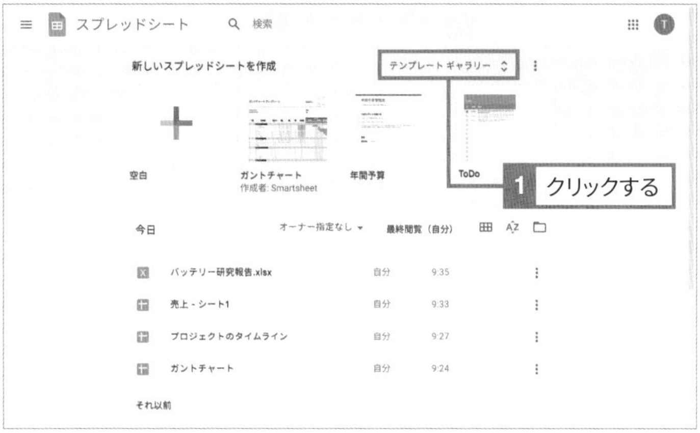

MEMO

テンプレートはファイルの雛形です。ドキュメントなら履歴書やレポート、スプレッドシートならカレンダーやガントチャートなど、仕事ですぐに使えそうなテンプレートを複数用意しています。

2 テンプレートを選ぶ

テンプレートの一覧が表示されます。これから作るファイルにあわせてテンプレートを選択します。

3 ファイルが作成される

テンプレートから新しいファイルが作成されました。内容を自由に書き換えて文書を作成していきます。

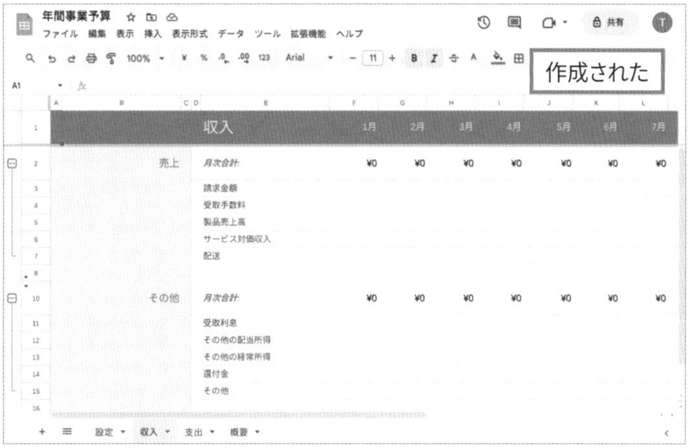

section 05

Googleドキュメントでビジネス文書を作成しよう

Googleドキュメントの便利な機能を使ってみましょう。文章を入力する際に、マイクに向かって話すだけで入力できる音声入力が利用できます。また作成したドキュメントは、WordやPDFなど別の形式にして書きだすことができます。

文書を見栄えよくしよう

1 スタイルを変更する

タイトルを設定したい部分にカーソルを置いて「スタイル」をクリックします。

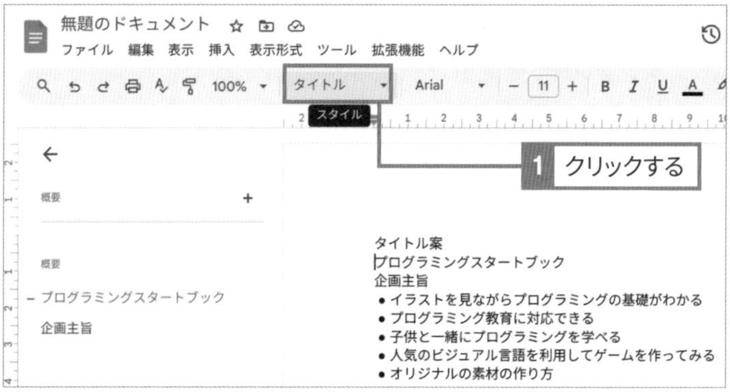

2 タイトルを設定する

スタイルを変更します。「タイトル」→「タイトルを適用」をクリックします。

3 タイトルが設定される

カーソル行の本文がタイトルに設定されました。

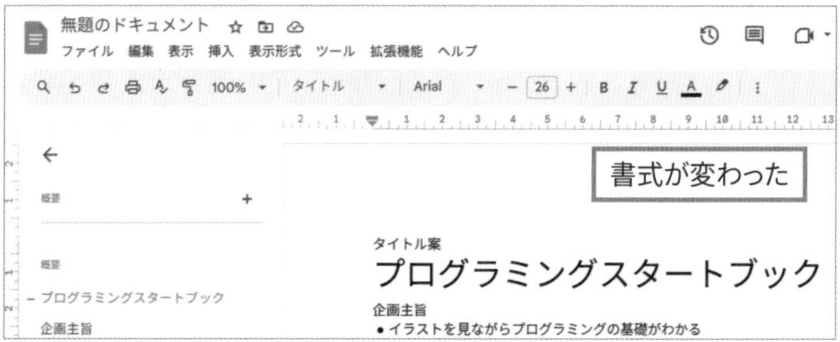

画像を挿入する

1 画像をアップロードする

「挿入」→「画像」→「パソコンからアップロード」をクリックします。

MEMO 「ドライブ」や「フォト」などを選んでもかまいません。

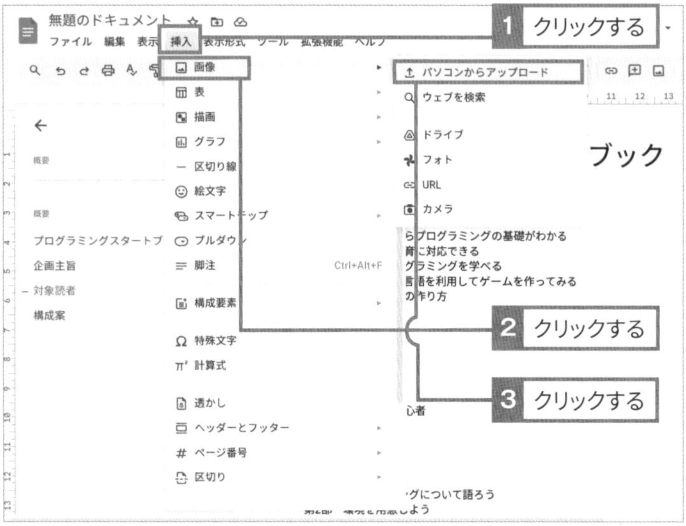

2 ファイルを選ぶ

ファイルを選択し、「開く」をクリックします。

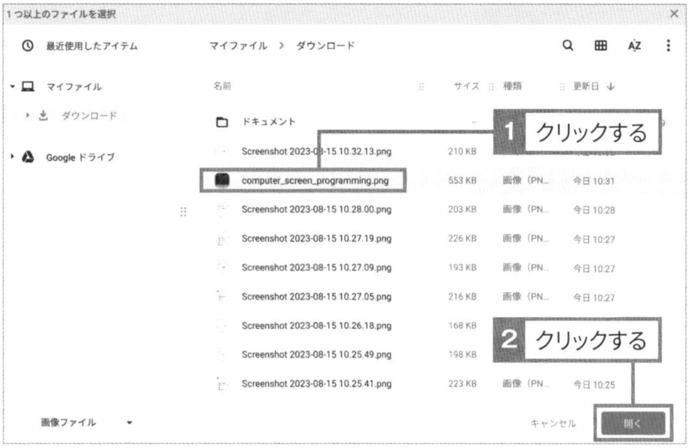

3 位置やサイズを調節する

画像が貼りつけられます。画像や四隅にあるハンドルをドラッグしてサイズ、位置を調節します。レイアウト方法を「テキストの背面」や「テキストの前面」に変更すると、テキストに影響を与えないで画像をレイアウトできます。

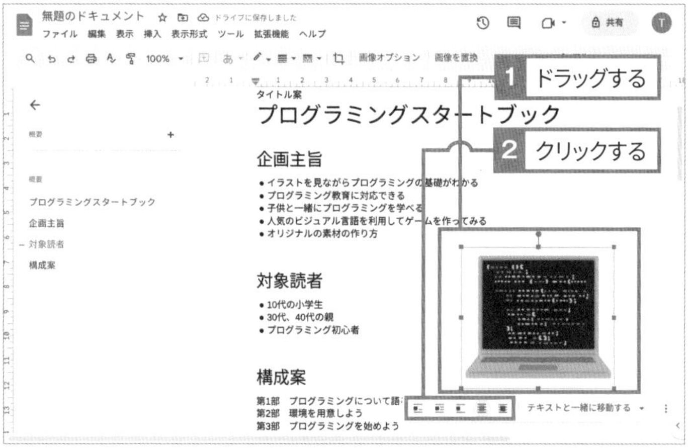

表を挿入する

1 表を挿入する

「挿入」メニューを開いて「表」をクリックします。挿入したい表に必要な行と列をドラッグで指定します。

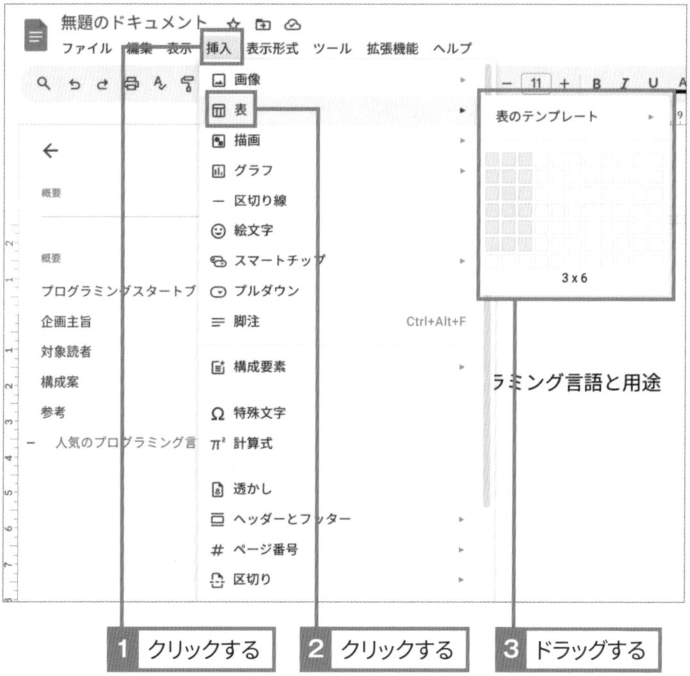

2 表が挿入される

表が挿入されました。セルに必要な情報を入力してきます。

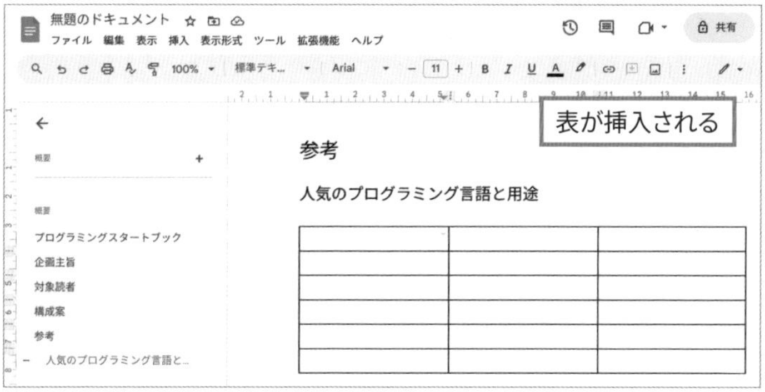

コラム

表を編集する

あとから行や列を増やしたい(減らしたい)ときは、右クリックを活用します。セルの上で右クリックすると、メニューから行列を増やしたり減らしたりできます。見出し行(列)の設定や並べかえなども可能です。

PDFやWord形式で書きだす

1 ファイルをダウンロードする

「ファイル」メニューにある「ダウンロード」をクリックして、書きだしたい形式を選択します。

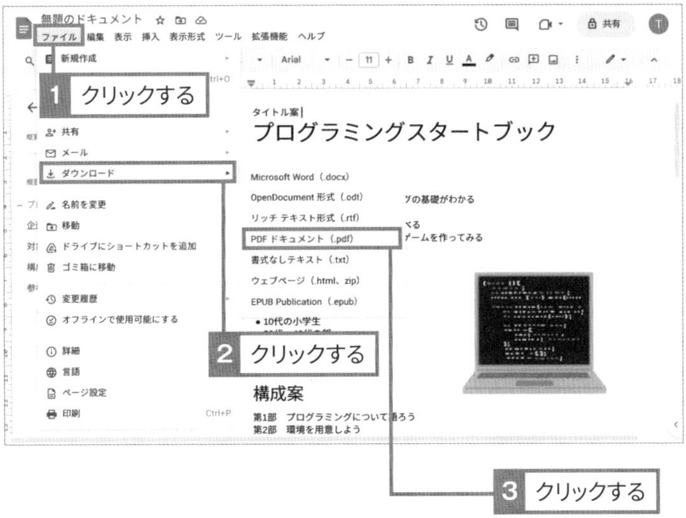

2 ダウンロードが完了する

書きだしたドキュメントは、ファイルアプリの「ダウンロード」フォルダに保存されます。

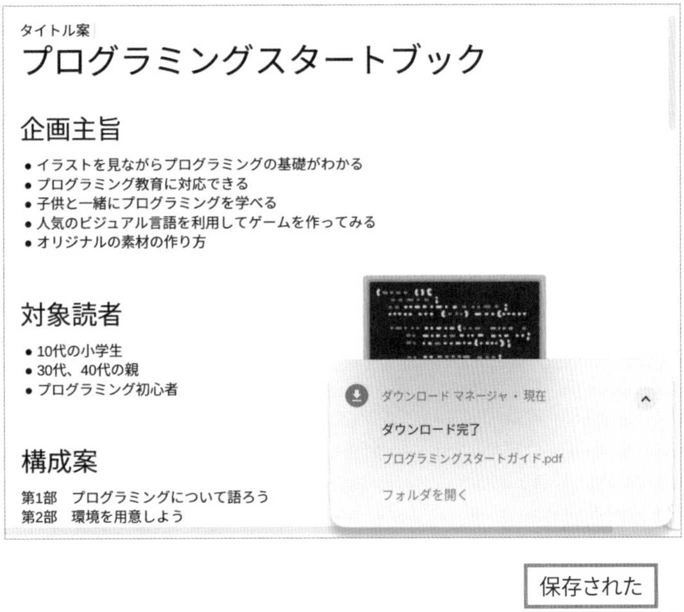

section 06 アドオンをインストールする方法を知ろう

Google オフィスアプリで、ChatGPT を利用するための拡張機能（アドオン）をインストールします。文書や表計算、プレゼンテーション作成で生成AIが利用できるようになります。

アドオンをインストールする

ここでは「Googleドキュメント」を利用しています。

1 アドオンの取得をクリックする

「拡張機能」のメニューを開いて、「アドオン」→「アドオンの取得」の順にクリックします。

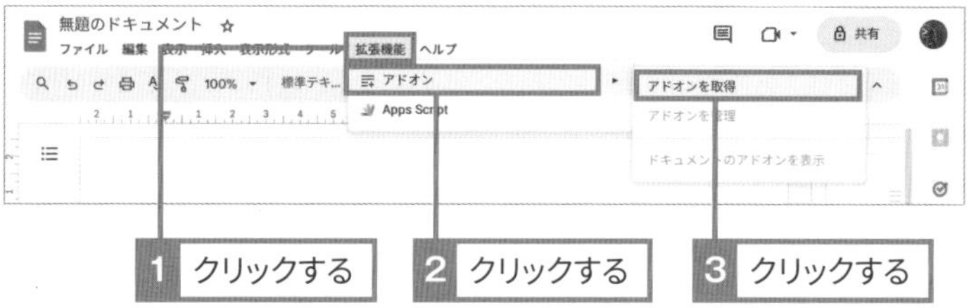

2 アドオンを検索する

虫眼鏡のアイコンをクリックしたら、キーワードを入力します。ここでは「chatgpt」と入力しています。検索結果が表示されるのでインストールするアドオンをクリックします。

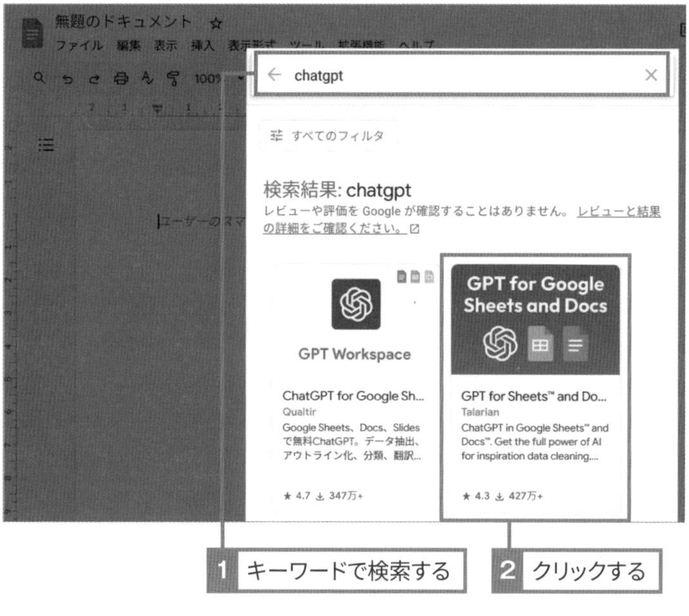

3 インストールをクリック

詳細画面が表示されるので、「インストール」をクリックします。

GPT for Sheets™ and D...
インストール
ChatGPT in Google Sheets™ and Docs™. Get the full power of AI for inspiration data...
デベロッパー: Talarian
リスト更新日: 2023年9月21日
対応デバイス:
235
427万+
1 クリックする

4 「続行」をクリック

権限へのアクセスが必要な場合、「インストールの準備」が表示されます。「続行」をクリックします。

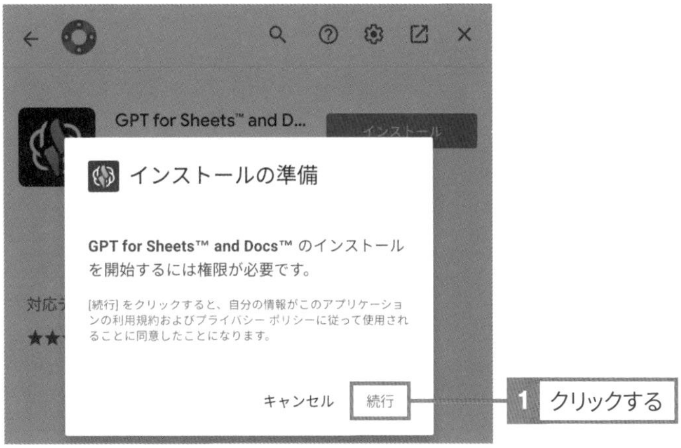
インストールの準備
GPT for Sheets™ and Docs™ のインストールを開始するには権限が必要です。
[続行] をクリックすると、自分の情報がこのアプリケーションの利用規約およびプライバシー ポリシーに従って使用されることに同意したことになります。
キャンセル
続行
1 クリックする

5 権限を許可する

Googleドライブのファイルにアクセスするための許可を与えます。必要な権限を画面で確認し、「許可」をクリックすると、インストールが行われます。完了したら「x」をクリックして画面を閉じます。

Chrome - ログイン - Google アカウント
accounts.google.com/signin/oauth/consent?authuser=0&part=AJi8hAONE313muxCN_l4K...
Google アプリケーション内のプロンプトとサイドバーで、サードパーティのウェブコンテンツを表示、実行します
GPT for Sheets and Docs を信頼できることを確認
お客様の機密情報をこのサイトやアプリと共有することがあります。アクセス権の確認、削除は、Google アカウントでいつでも行えます。
Google でデータ共有を安全に行う方法についての説明をご覧ください。
GPT for Sheets and Docs のプライバシー ポリシーと利用規約をご覧ください。
キャンセル
許可
日本語
ヘルプ
プライバシー
規約
1 クリックする

MEMO
アドオンによって、必要な権限は異なります。かならず内容を確認してから許可してください。

section 07

ChatGPTをビジネス資料作りに役立ててみよう

「ChatGPT」(チャットGPT)は、質問をすると自然な言語で返答を出力してくれる生成AIサービスです。GoogleドキュメントにChatGPTを組み込むことで、これまで時間がかかっていた文書の作成がはかどります。

ChatGPTを設定する

あらかじめOpenAIからAPIキーを取得しておき(P.58参照)、「GPT for Sheets and Docs」のアドオンをインストールしておきます(P.134参照)。

1 GPT for Sheets and Docsを表示する

Googleドキュメントを開き、「拡張機能」→「GPT for Sheets and Docs」→「Set API keys」の順にクリックします。

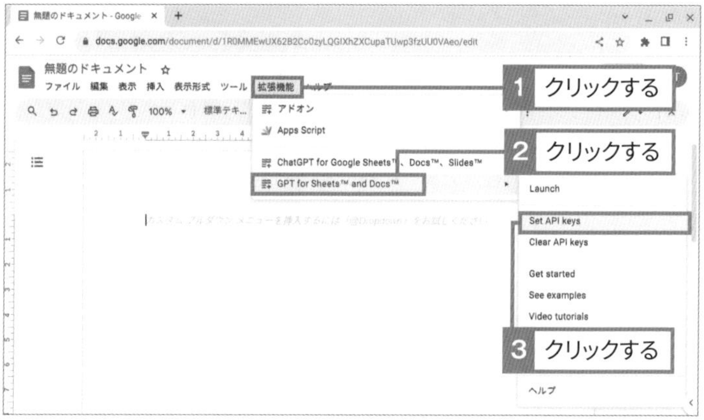

2 APIキーを入力する

ChatGPTで取得したAPIキーを貼りつけて、「Save key」をクリックします。「X」をクリックしてAPI Keysの画面を閉じます。

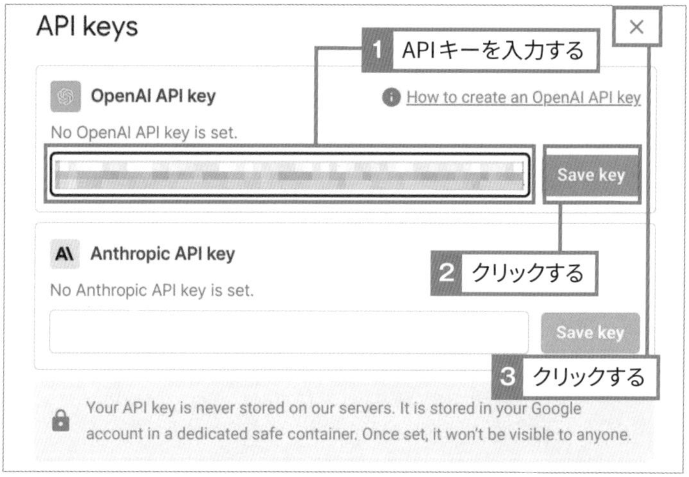

ChatGPTを利用する

1 GPT for Sheets and Docsを起動する

「拡張機能」→「GPT for Sheets and Docs」→「Launch」の順にクリックします。

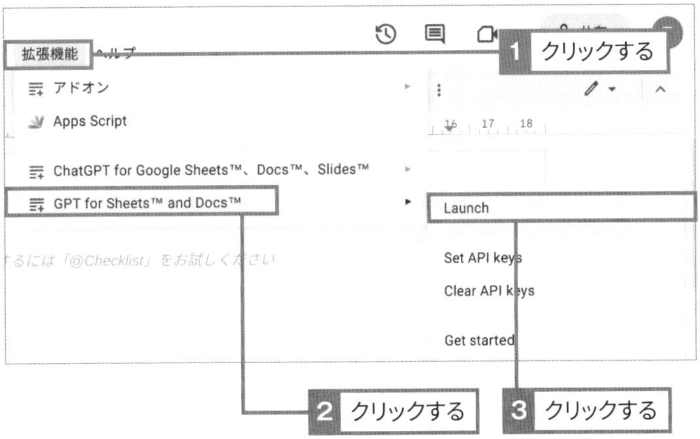

拡張機能
ヘルプ
アドオン
Apps Script
ChatGPT for Google Sheets™、Docs™、Slides™
GPT for Sheets™ and Docs™
Launch
Set API keys
Clear API keys
Get started
1 クリックする
2 クリックする
3 クリックする

2 記事を書く

プロンプト（ChatGPTに答えてもらいたい内容）を入力して「Submit」をクリックします。

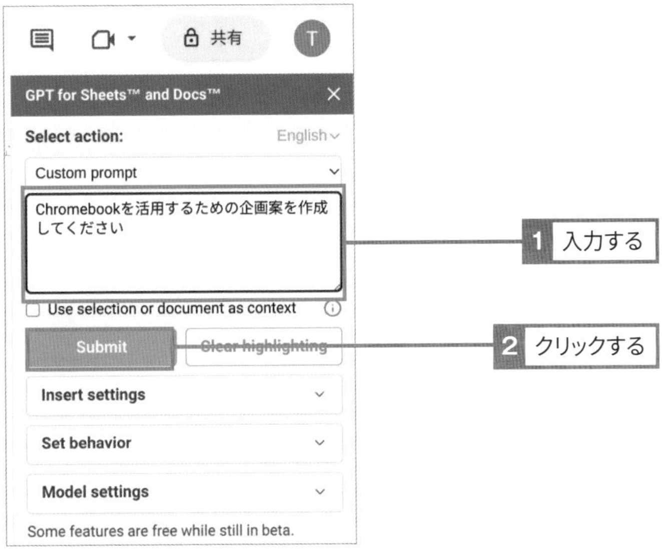

共有
GPT for Sheets™ and Docs™
Select action:
English
Custom prompt
Chromebookを活用するための企画案を作成してください
Use selection or document as context
Submit
Clear highlighting
Insert settings
Set behavior
Model settings
Some features are free while still in beta.
1 入力する
2 クリックする

3 記事が作成される

数秒待つと記事が作成されます。記事に加筆してもらうことや、内容を修正することも可能です。

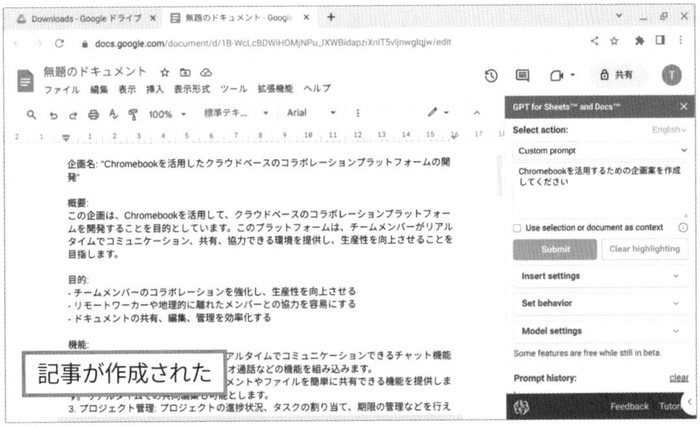

無題のドキュメント
企画名: "Chromebookを活用したクラウドベースのコラボレーションプラットフォームの開発"
概要:
この企画は、Chromebookを活用して、クラウドベースのコラボレーションプラットフォームを開発することを目的としています。このプラットフォームは、チームメンバーがリアルタイムでコミュニケーション、共有、協力できる環境を提供し、生産性を向上させることを目指します。
目的:
- チームメンバーのコラボレーションを強化し、生産性を向上させる
- リモートワーカーや地理的に離れたメンバーとの協力を容易にする
- ドキュメントの共有、編集、管理を効率化する
機能:
記事が作成された

ChatGPTで翻訳する

1 翻訳したい部分を選択する

あらかじめ文書を読み込んでから、翻訳したい部分を選択します。プロンプトを変更するため「Custom Prompt」をクリックし、「Translate to」に変更します。

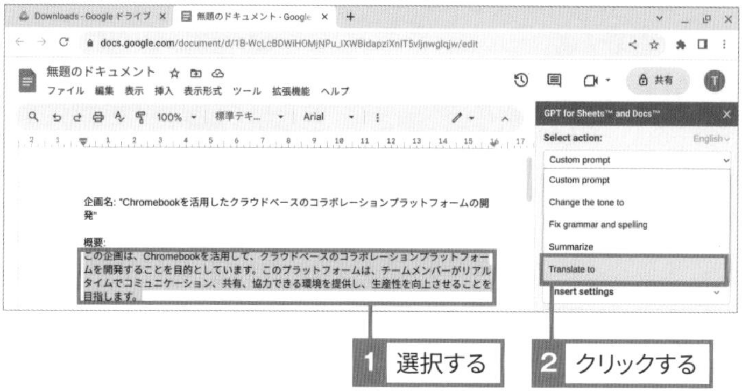

2 プロンプトを入力する

翻訳したい言語をプロンプトに入力します。ここでは「english」と入力しています。最後に「Submit」をクリックします。

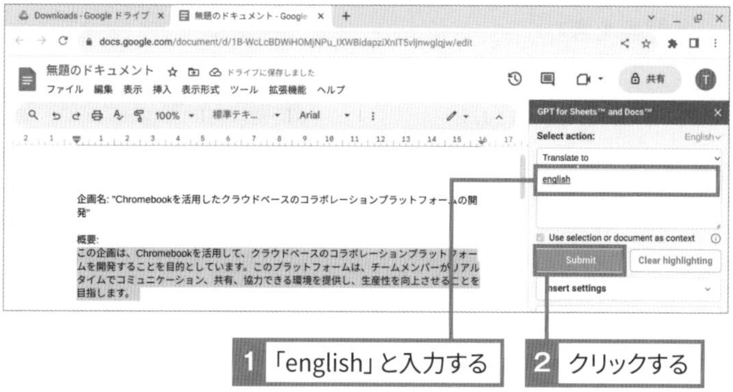

3 翻訳が表示される

選択した部分の下に翻訳文が表示されます。

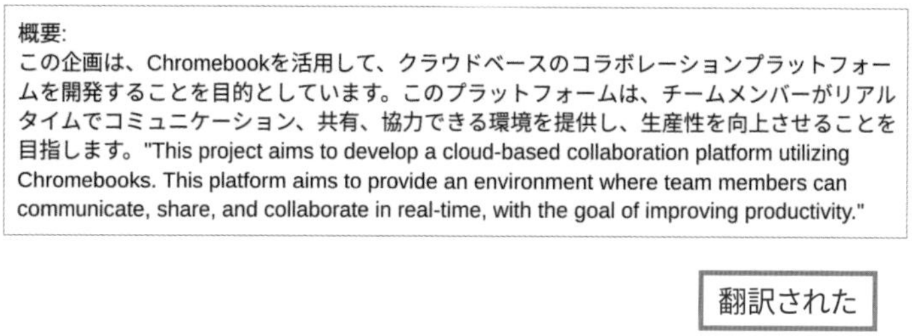

概要:
この企画は、Chromebookを活用して、クラウドベースのコラボレーションプラットフォームを開発することを目的としています。このプラットフォームは、チームメンバーがリアルタイムでコミュニケーション、共有、協力できる環境を提供し、生産性を向上させることを目指します。"This project aims to develop a cloud-based collaboration platform utilizing Chromebooks. This platform aims to provide an environment where team members can communicate, share, and collaborate in real-time, with the goal of improving productivity."
翻訳された

文章を要約する

1 日本語に切り替える

あらかじめ文書を用意しておきます。「English」と表示されているところをクリックし「日本語」に切り替えます。

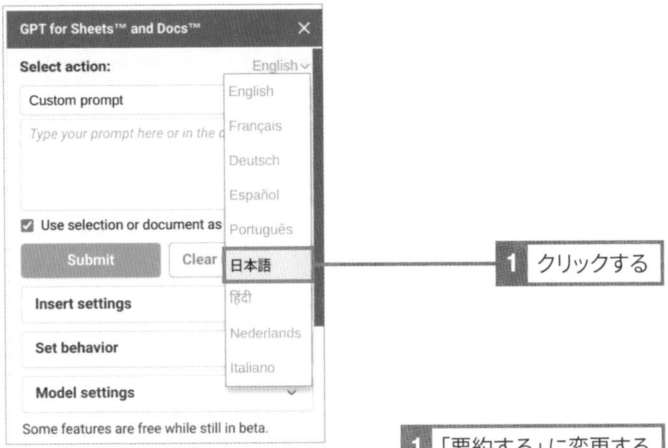

2 プロンプトを入力する

プロンプトの種類を「要約する」に変更し、プロンプトを入力します。「200字程度に要約」など文字数を指定できます。

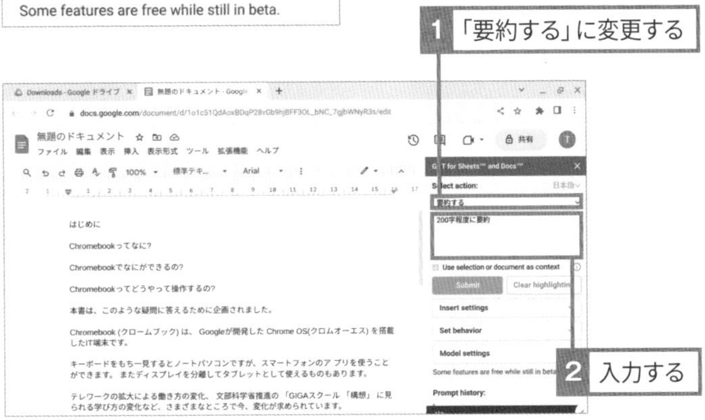

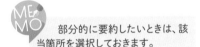

MEMO

部分的に要約したいときは、該当箇所を選択しておきます。

3 「Submit」をクリックする

「Submit」をクリックします。文書全体を要約した場合は、最後に要約が表示されます。

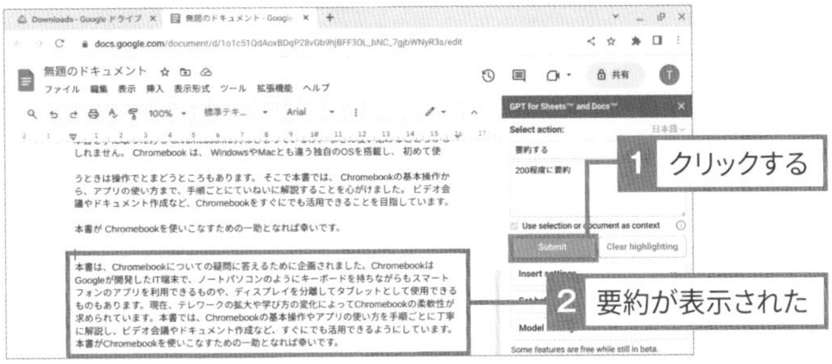

コラム

無料トライアル後は有償になる

ChatGPTのAPIには、3カ月のトライアル期間または5ドル分のクレジットがついていますが、使い切ったあとは従量課金になり、消費したトークンにより料金が発生します（トークンはテキストを扱う最小の単位で、一般的に英語の場合で1トークンは1文字に相当します）。トライアルが終わったら、OpenAIのWebサイトでクレジットカードを登録することで、従量課金制へと切り替えることができます。なおトライアルが終了したあとは、APIキーの取得と設定をやり直す必要があります。

section 08

Googleスプレッドシートでビジネス資料を作成しよう

　入力したデータを元にグラフを作成したり、集計を取ったりできるのがスプレッドシートです。スプレッドシートの代表的な機能であるグラフや関数を使えば、入力した数値を目的にあわせて簡単に加工できます。

見栄えのいい表を作る

1 表全体を選択する

あらかじめスプレッドシートを開いておきます。画面左上にある全セル選択ボタンをクリックし、表全体を選択します。「枠線」ボタンをクリックして、「枠線の色」を白にします。

2 「すべての枠線」をクリックする

「すべての枠線」をクリックします。グレーだった枠線が白になり、表全体の背景が白く表示されます。

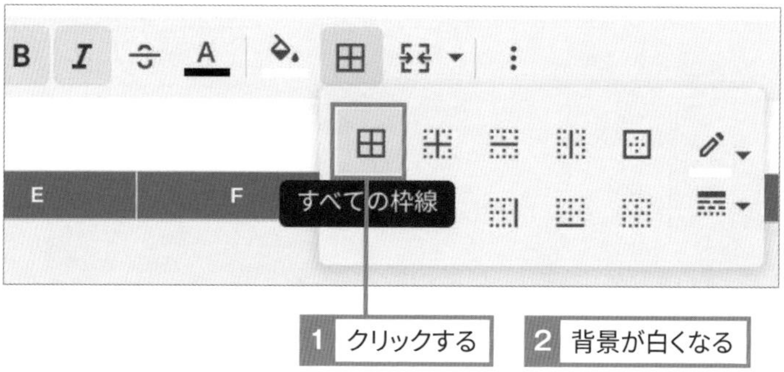

3 セルを選択する

枠線を引きたいセルを選択してから、「枠線」をクリックします。「枠線の色」を黒にします。

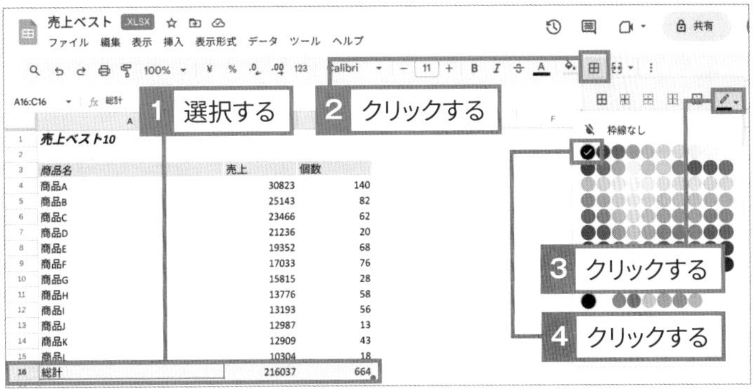

4 枠線を引く

枠線を引く箇所を選びます。ここでは「上の枠線」を選択しています。選択したセルの上の部分に枠線が引かれました。同様の操作でほかのセルにも枠線を引けます。

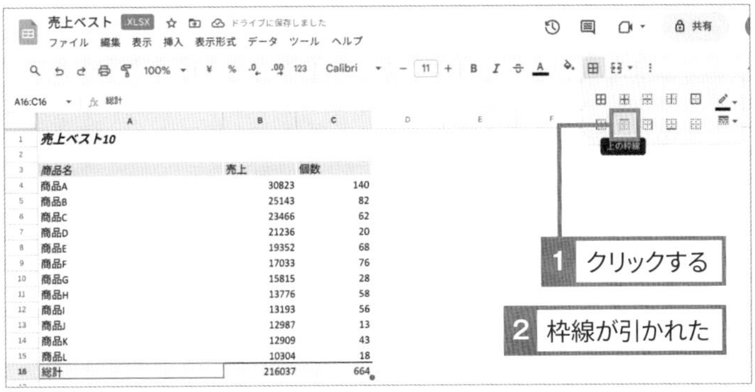

MEMO セル内の色や文字は「塗りつぶしの色」「テキストの色」をクリックして変更できます。

5 水平方向をそろえる

画面に表示されない機能は「もっと見る」をクリックして表示します。「水平方向の配置」を利用すれば、文字のそろえを変更できます。

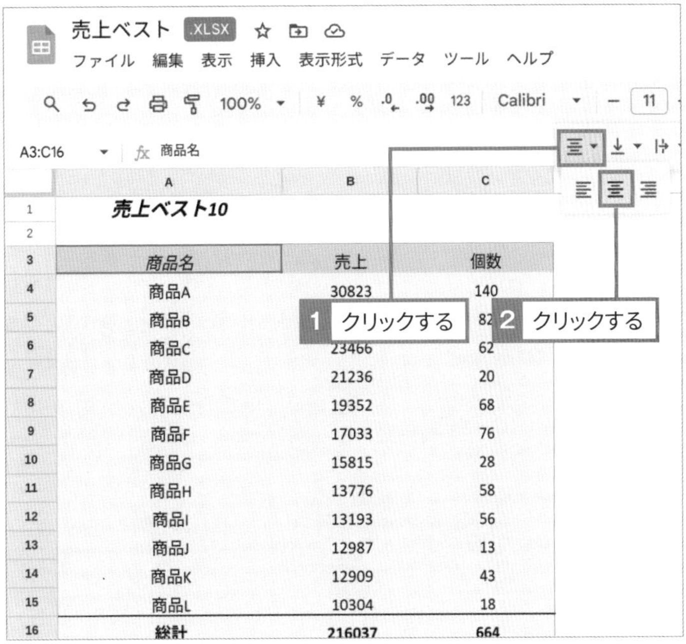

グラフを作成する

① データを入力する

グラフを作成したいデータをあらかじめ選択しておき、「挿入」メニューを開いて「グラフ」をクリックします。

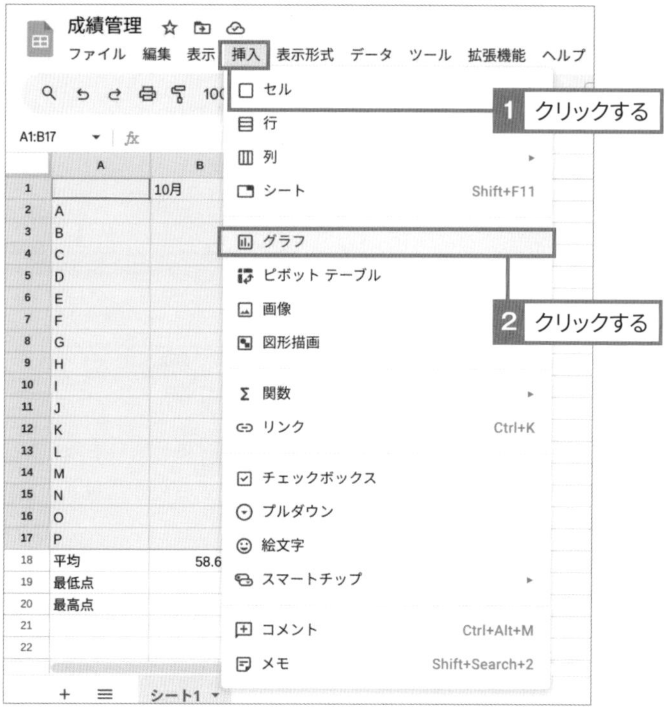

② グラフが表示される

グラフが表示されました。グラフの種類をクリックしてグラフを変更できます。

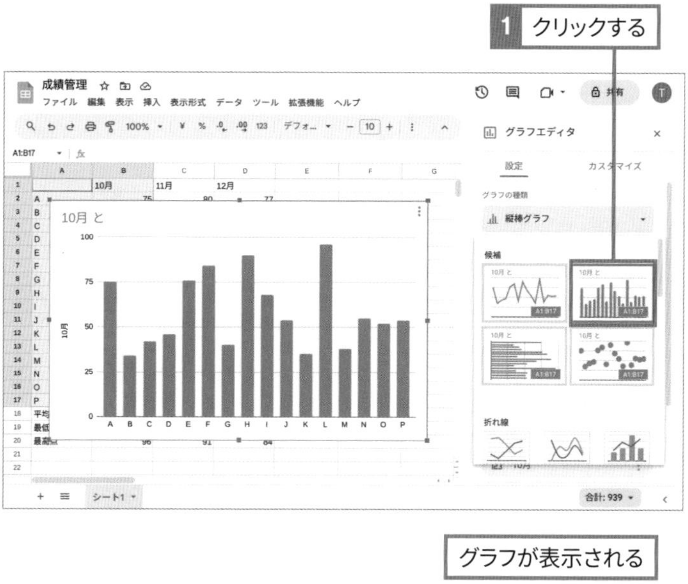

関数を利用する

1 関数を選ぶ

関数を出力するセルを選択し、「挿入」メニューから「関数」を開いて、利用したい関数を選択します。

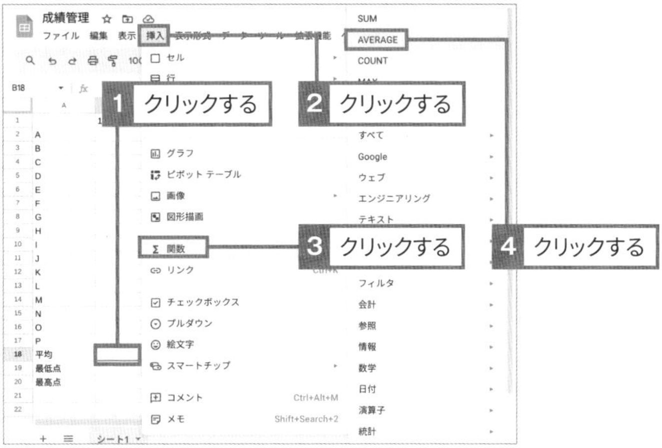

2 「Enter」キーを押す

関数が挿入されます。計算に利用するセルを選択し、「Enter」キーを押します。

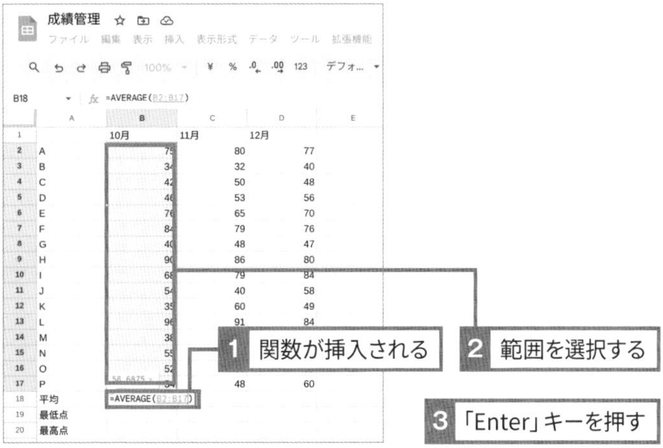

3 計算結果が表示される

挿入した関数の結果がセルに表示されます。セルをコピーして貼りつければ、同じ関数をほかのセルにも適用できます。

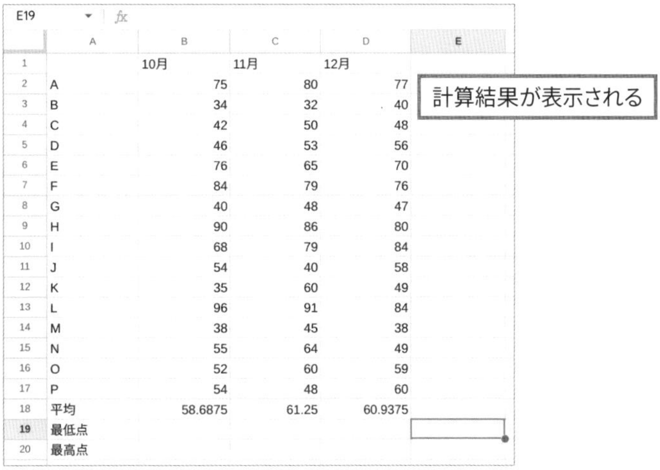

MEMO 代表的な関数には、合計や平均を求めるものや、条件を指定して値を返すIF関数などがあります。

section 09

ChatGPTを リサーチに役立ててみよう

スプレッドシートとChatGPTを組み合わせると、資料作りに必要なリサーチをすばやく行えます。「GPT for Sheets and Docs」をインストールすると使えるようになるGPT関数を利用してみましょう。

GPT関数を利用する

あらかじめ「GPT for Sheets and Docs」をインストールし、APIキーをセットしておきます（P.136参照）。

1 GPT機能をオンにする

「拡張機能」→「GPT for Sheets and Docs」→「Enable GPT functions」の順にクリックします。

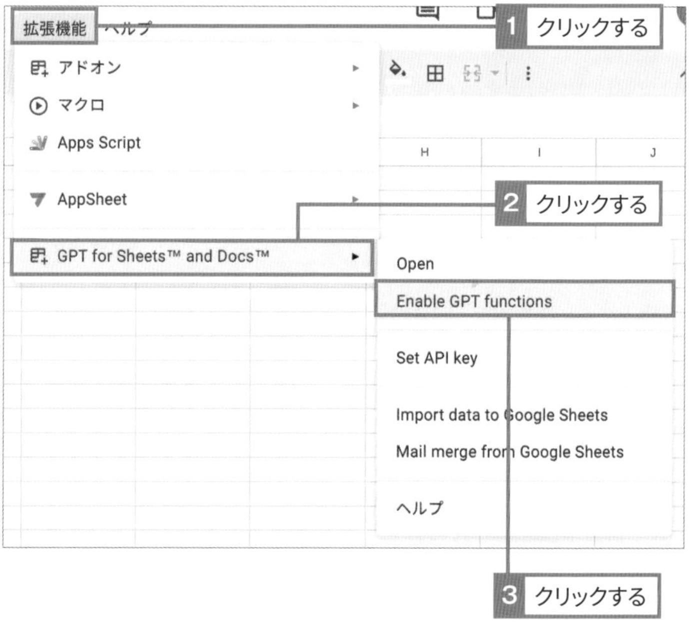

2 OKをクリックする

GPT関数を利用する準備ができました。「OK」をクリックします。

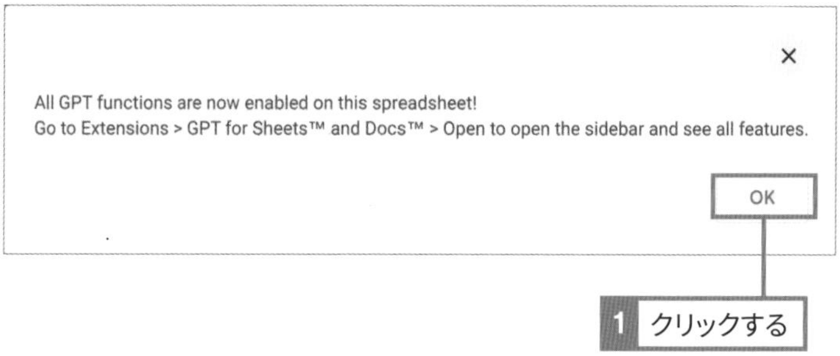

3 GPT関数を利用する

隣のセルの内容を参照して、ChatGPTに答えてもらいます。ここでは「=GPT(A1&"について200文字程度で答えて")」と入力しています。入力が終わったら「Enter」キーを押します。

MEMO 「=GPT("質問")」でもかまいません。また手順2の「&」はセルとテキストを接続するのに使います。

4 回答が表示される

数秒待つと回答が表示されます。

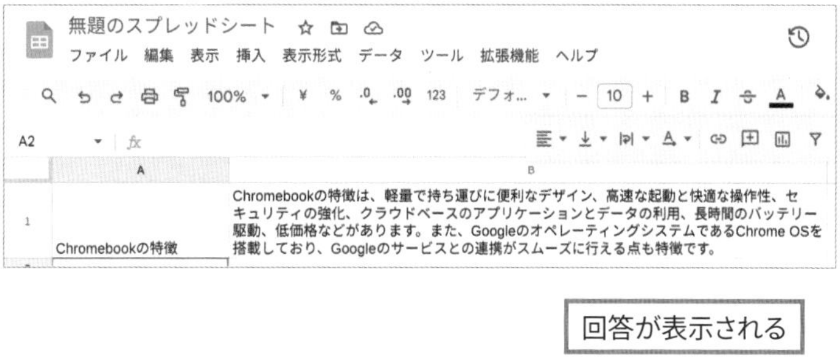

5 リサーチを続ける

ほかに調べたいことがあれば、下のセルに内容を入力します。GPT関数を利用したセルをコピー＆ペーストすれば、同じようにChatGPTの回答が得られます。

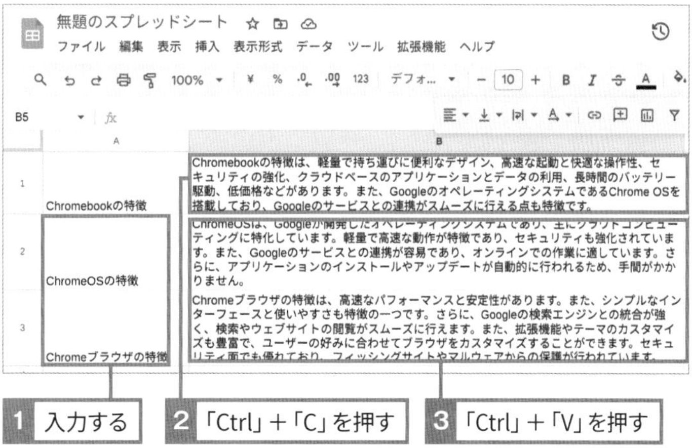

MEMO GPT関数は全部で16種類あります。「拡張機能」→「GPT for Sheets and Docs」→「Open」で一覧を表示できます。

section 10

Googleスライドでプレゼン資料を作成しよう

ビデオ会議の環境が整ったことで、プレゼンをする機会が増えた人も多いでしょう。Googleスライドは、プレゼンテーションを作成できます。スプレッドシートで作成した表を貼りつけたりして、資料に説得力をもたせましょう。

スライドを追加する

1 新しいスライドを作成する

あらかじめプレゼンテーションファイルを開いておきます。「+」の横にある「▼」をクリックし、レイアウトを選びます。

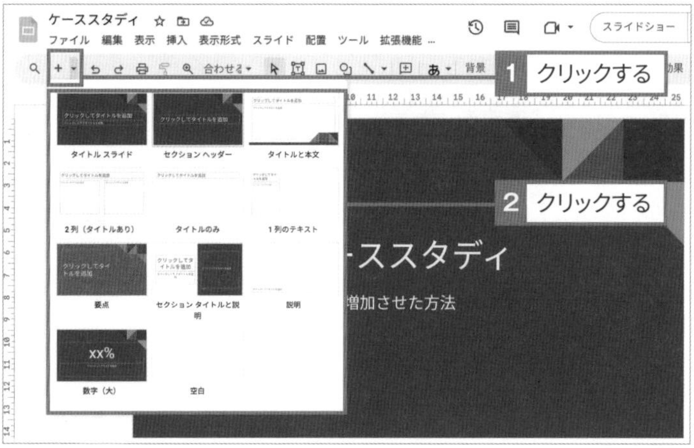

2 スライドが追加される

選択していたスライドの後ろに新しいスライドが作られました。空のテキストボックスにテキストを入力し、スライドを完成させます。

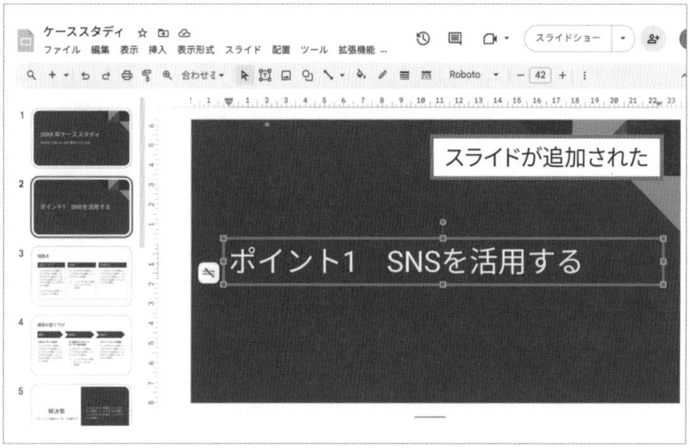

MEMO

スライドを選択した状態で「切り替え効果」をクリックすると、スライドとスライドの間にアニメーションを設定できます。

スプレッドシートの表を挿入する

1 スプレッドシートの表をコピーする

Googleスプレッドシートであらかじめスプレッドシートを開いて、貼りつけたい要素をコピーします。

MEMO コピーは「Ctrl」+「C」キーを押します。

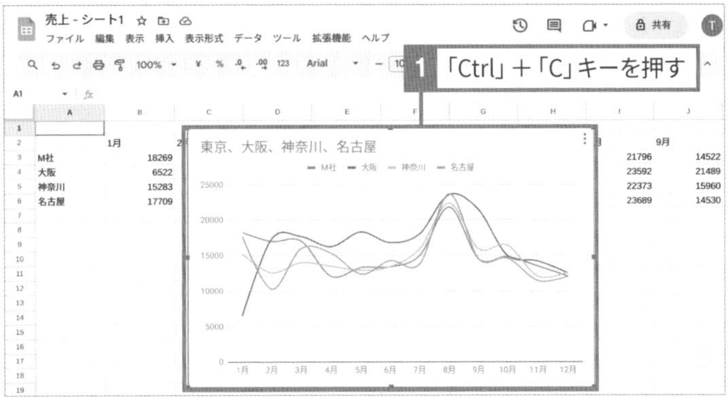

2 スライドに貼りつける

Googleスライドに切り替えます。貼りつけ先のスライドで「貼りつけ」を実行して、貼りつけ方法を選びます。「スプレッドシートにリンク」が選ばれているので、そのまま「貼りつけ」をクリックします。

MEMO 貼りつけは「Ctrl」+「V」キーを押します。

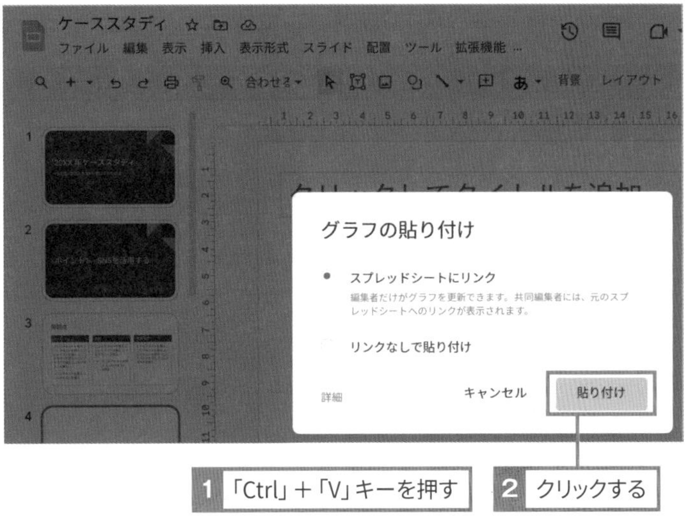

3 グラフが貼りつけられる

スプレッドシートでコピーしたグラフが貼りつけられました。青いハンドルをドラッグして、好きな位置や大きさに調節します。

MEMO リンクした表やグラフはスプレッドシートを編集すると、その内容をスライドにも反映できます。貼りつけたグラフなどの右上に「更新」と表示されるのでクリックします。

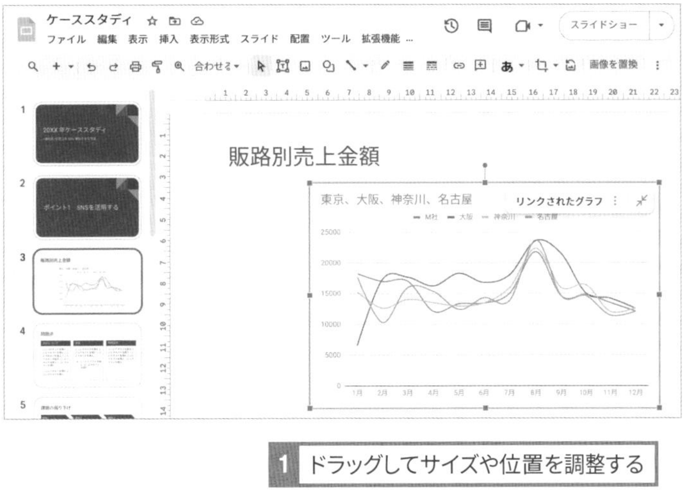

section 11

ChatGPTをプレゼン資料作りに役立ててみよう

プレゼンの資料作りにChatGPTを活用してみましょう。テーマを入力するだけでスライドを自動作成できます。またスライドに挿入するテキストや図版を用意するのにも利用可能です。

スライドを自動作成する

あらかじめ「ChatGPT for Google Sheets、Docs、Slides」のアドオンをインストールしておきます。

1 アドオンを起動する

「拡張機能」→「ChatGPT for Google Sheets、Docs、Slides」→「Start」の順にクリックします。

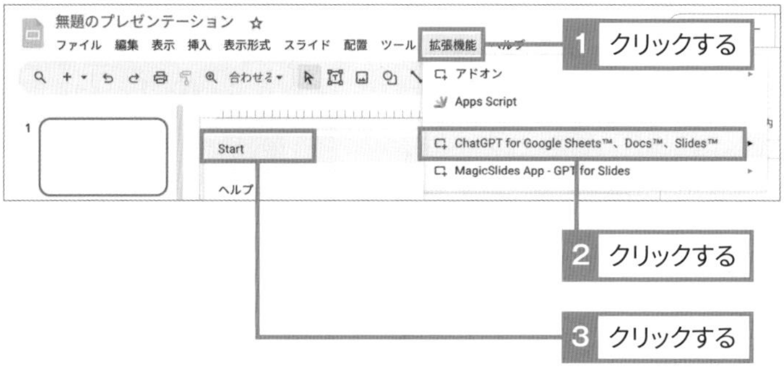

MEMO 本アドオンはAPIキーなしで利用できますが、無料版は1日に10回までという制限があります。

2 設定を開く

歯車のアイコンをクリックして設定画面を開きます。

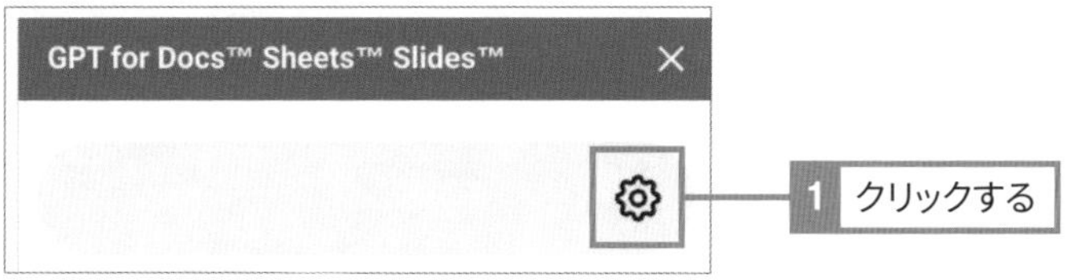

3 「Language」をクリック

日本語を利用するため言語を変更します。「Language」をクリックします。

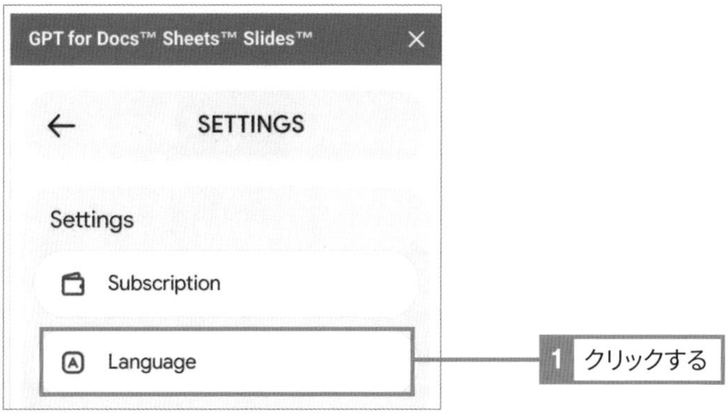

4 「Japanese」に切り替える

リストから「Japanese」を選びます。手順1の画面に戻り「Generate Slide Deck」をクリックします。

1 クリックする

5 プロンプトを指定する

プロンプトにスライドのテーマを入力し、「Run」をクリックします。

MEMO 「Number of slides to generate」でスライドの枚数を指定できます。

1 入力する
2 クリックする

6 スライドが作成される

数十秒待つとスライドが表示されます。

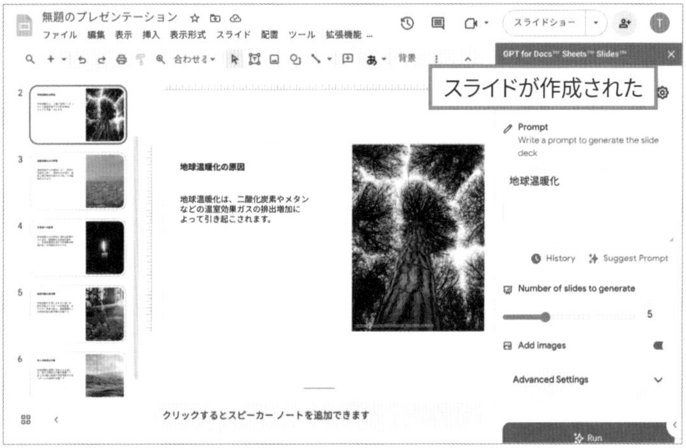

テキストを作成する

1 プロンプトを入力する

アドオンのトップ画面で「Create Text」を選んで、プロンプトに必要なテキストの情報を入力します。「Run」をクリックします。

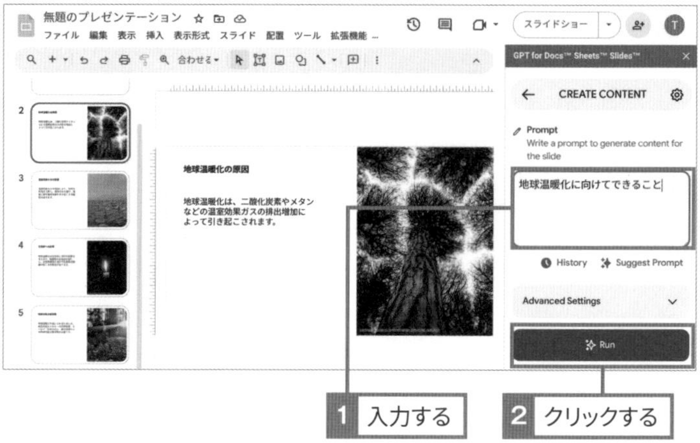

2 テキストが作成される

「Run」をクリックするとテキストが生成されます。必要な部分をコピーしてスライドに貼りつけることができます。

MEMO 「Create Images」を利用すれば同様の手順で画像を生成できます。

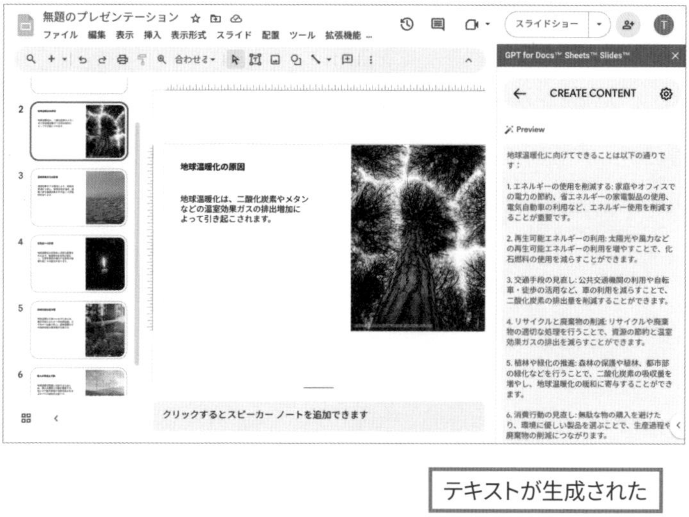

コラム

画像を生成する

アドオンのトップ画面で「Create Images」を選択すると、テキストを生成するのと同様の手順で画像を作成できます。

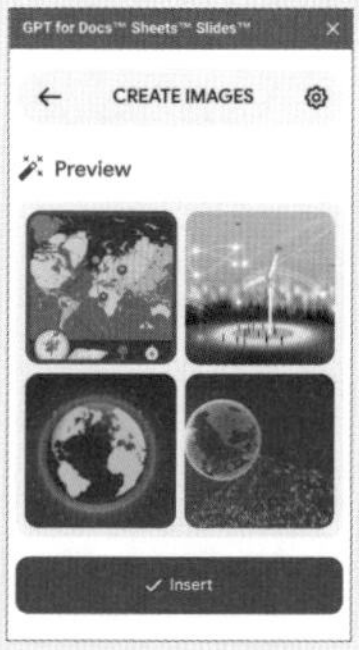

7

Chromebookを賢く使いこなそう
―ファミリー編―

section 01

Chromebookを家族で使う方法を知ろう

仕事とプライベートでGoogleのアカウントを使い分けている人もいるでしょう。Chromebookではログインするユーザーを複数追加して使うことができます。同居する家族とChromebookを共有するときなどに役立ちます。

複数アカウントに対応

ChromeOSでは、WindowsやmacOSと同じように複数のアカウントを追加できます。家族でChromebookを共有するときなどは、個別にアカウントを追加することで、それぞれの環境を分けることができます。

Googleアカウントには、メールやブックマーク、履歴、パスワードなど個人情報が詰まっています。たとえ家族でもデータを共有したくないケースが多いでしょう。個人ごとにアカウントを用意すれば、自分専用の環境をChromebook上に作成でき、データをほかのユーザーに覗かれることがありません。

ログインなしで切り替えるマルチログインも

Chromebookにアカウントを追加すると、「マルチログイン」も使えるようになります。マルチログインは、複数のアカウントをログインなしで切り替える機能のことです。いちいちログアウトしなくても、ワンタッチで環境を切り替えることができます。

アカウントを切り替えると、ログインし直したときと同じように、それぞれのChrome環境で操作できます。アカウント間でウィンドウを移動する機能もあります。

マルチログインのメリットは、ログアウトとログインの時間を節約できることです。ただし、ログインするのにPINやパスワード入力が不要になるため、信頼できるアカウントでだけ使います。たとえば仕事用とプライベート用の2つのアカウントをもっているなど、自分だけが使うアカウントの切り替えにピッタリです。

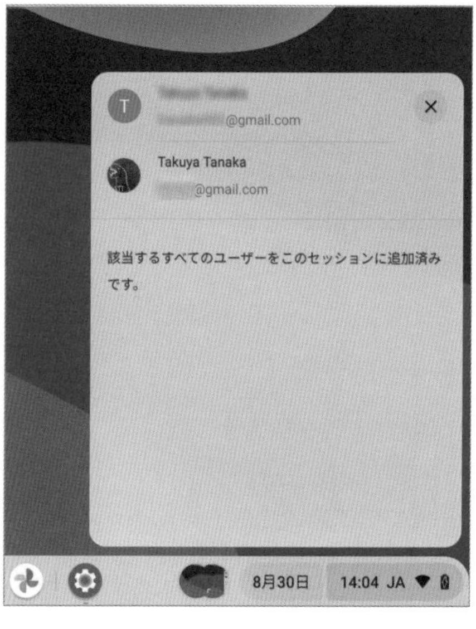

アカウントを追加する方法

アカウントを追加するには、ログイン画面を表示します。ログインしている場合は、時刻のアイコンから「ログアウト」をクリックし、いったんログアウトします。ログイン画面で「ユーザーを追加」をクリックすると、「このChromebookにどのユーザーを追加しますか」の画面が表示されるので、「あなた」を選んで「次へ」をクリックします。あとは画面の指示に従って、Googleアカウントを追加します。

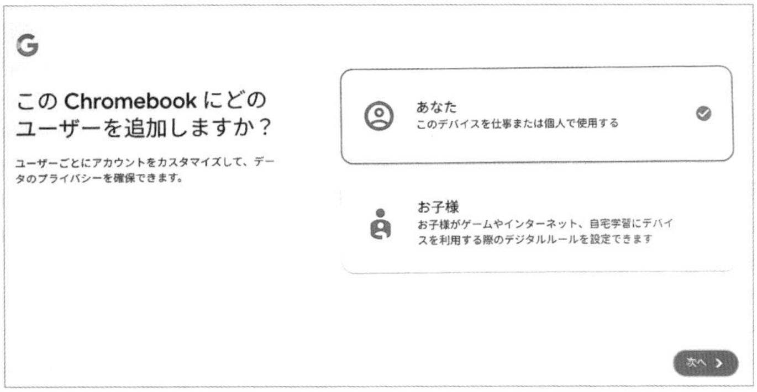

ウェブサイトやアプリに使うアカウントを追加する方法も

マルチログインでは、複数のログインをすばやく切り替えることができますが、ほかのアカウントのメールやファイル、写真を利用したいだけなら、Chromeブラウザにアカウントを追加する方法もあります。アカウントアイコンをクリックしてウェブサービスやアプリで使うアカウントを切り替えることができるので、マルチログインよりも手軽です。ただし、基本的には最初にログインしたアカウントの設定を利用するので、不自由なところはあります。マルチログインとあわせて使い分けるとよいでしょう。

GmailやGoogleドライブなど一時的に別のアカウントで利用したいときなどに便利

section 02

複数アカウントを切り替える方法を知ろう

マルチログインを使うと、いちいちログアウトしなくてもアカウントを切り替えることができます。マルチログインでは最大5人までのユーザーを追加して、まったく異なる環境でChromebookを使うことができます。

マルチログインを設定する

前もってアカウント（ユーザー）を追加しておきましょう。

1 アカウントのアイコンをクリックする

画面右下の時刻をクリックしてから、アカウントのアイコンをクリックします。

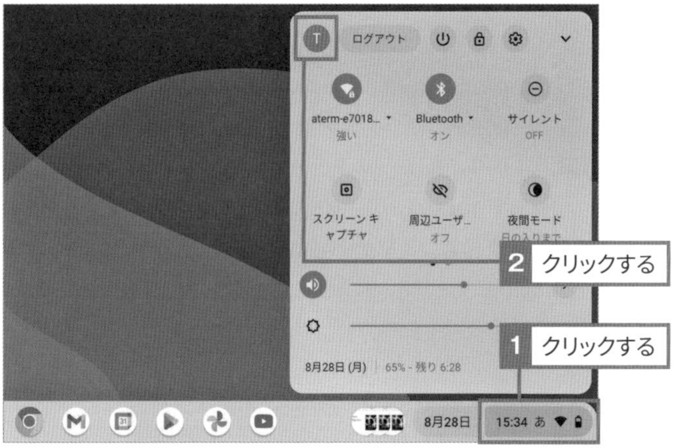

MEMO
ChromeOS 117以降は、電源アイコンをクリックしてからアカウントのアイコンをクリックします。

2 別のユーザーとしてログインする

「別のユーザーとしてログインする」をクリックします。

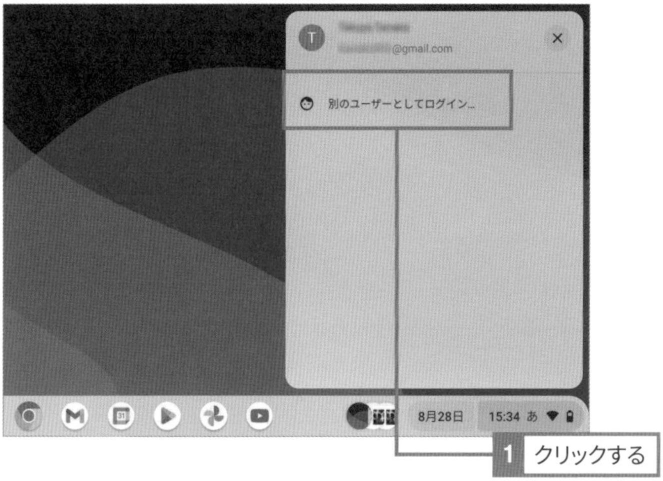

MEMO
ログイン画面で複数のユーザーを追加していないと、このメニューは表示されません。

3 ログインするアカウントのPINを入力する

ログインするアカウントのPINを入力します。PINを未設定の場合はパスワードを入力します。

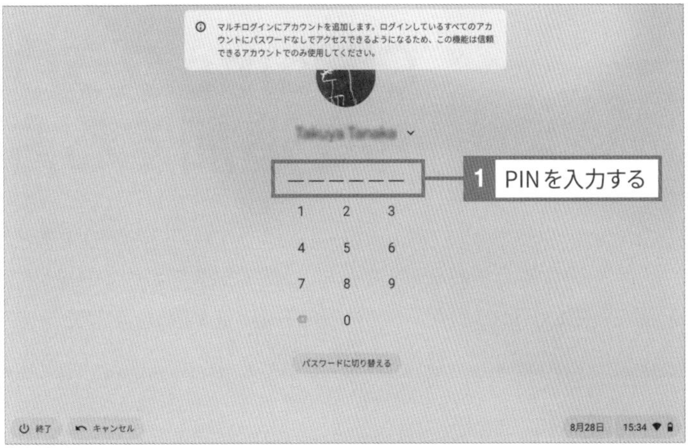

MEMO PINは6桁の番号です（P.186を参照）。「パスワードに切り替える」でパスワードを入力できます。

5 別のユーザーでログインできた

別のユーザーでログインできました。

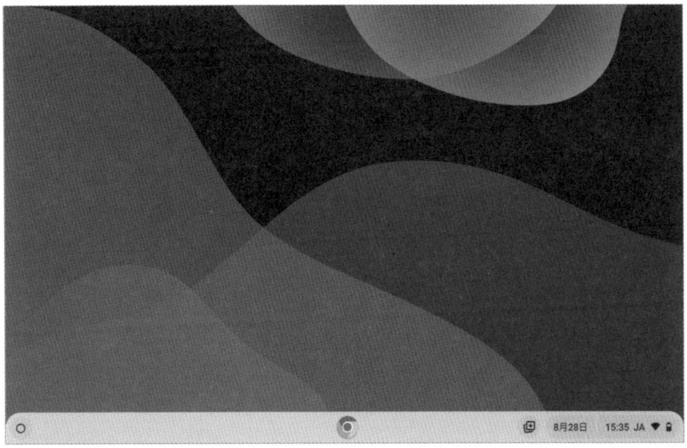

ログインした

MEMO 次回からは手順1の操作のあと、ユーザーを選択してアカウントを切り替えます。

コラム

次回の操作時

次回からは、手順1の操作をしたあとで、ログインするユーザーをクリックするだけで切り替えることができます。またログイン画面に戻りたいときは、「すべてログアウト」をクリックします。

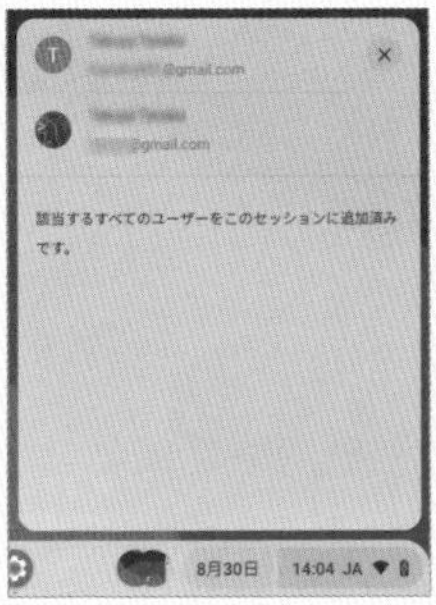

アイコンをクリックしてアカウントを切り替える

ログイン画面に戻るには「すべてログアウト」をクリック

section 03

Chromeブラウザにプロフィールを追加する方法を知ろう

Chromeブラウザにプロフィールのアカウントを追加すると、Webサイトやアプリで使うアカウントだけを切り替えられます。マルチログインでアカウントを切り替えなくても、別アカウントのメールを読んだり、Googleドライブや YouTubeを利用したりできます。

プロフィールを追加する

1 「設定」画面を開く

「設定」画面を開いて、「アカウント」のアカウントをクリックします。

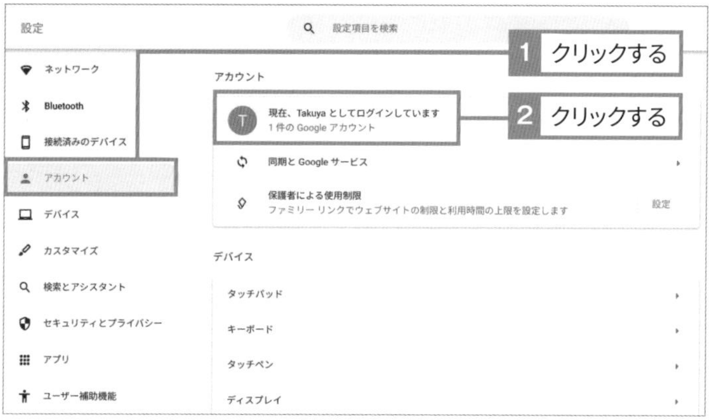

2 「＋ Googleアカウントを追加」をクリックする

「＋ Googleアカウントを追加」をクリックします。

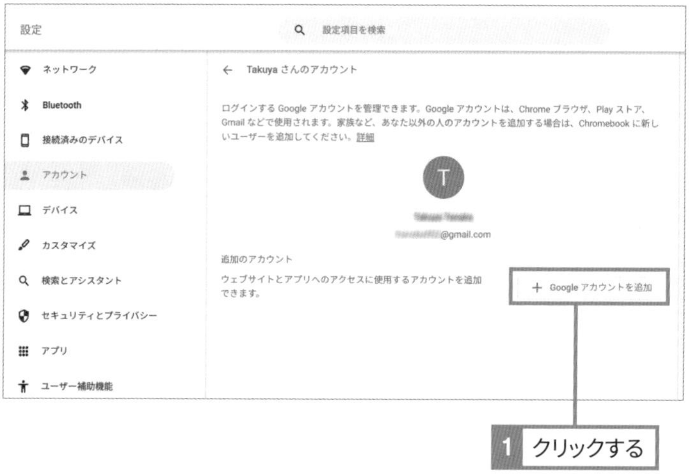

③ 「OK」をクリック

「OK」をクリックして先へ進みます。

④ メールアドレスを入力する

Googleアカウントのログインに使っているメールアドレスを入力し、「次へ」をクリックします。

MEMO 新しいアカウントを作成したいときは、「アカウントを作成」をクリックします。

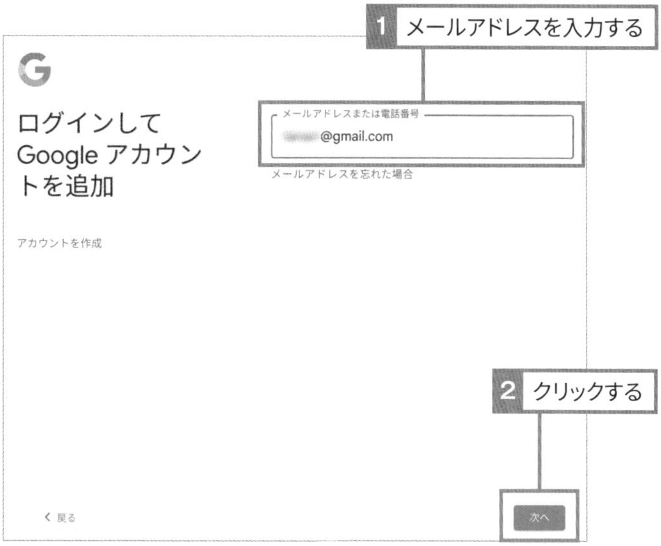

⑤ パスワードを入力する

パスワードを入力して「次へ」をクリックします。

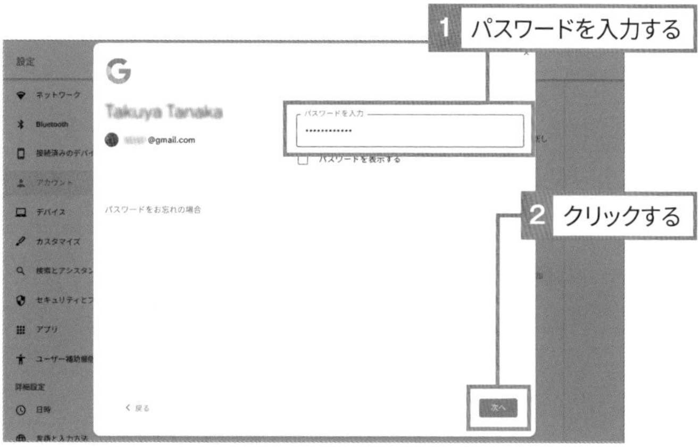

6 2段階認証を行う

2段階認証プロセスの画面が表示されたら、設定した端末で認証を行います。

7 サービスの内容に同意する

説明が表示されるので内容を読んでから「同意する」をクリックします。

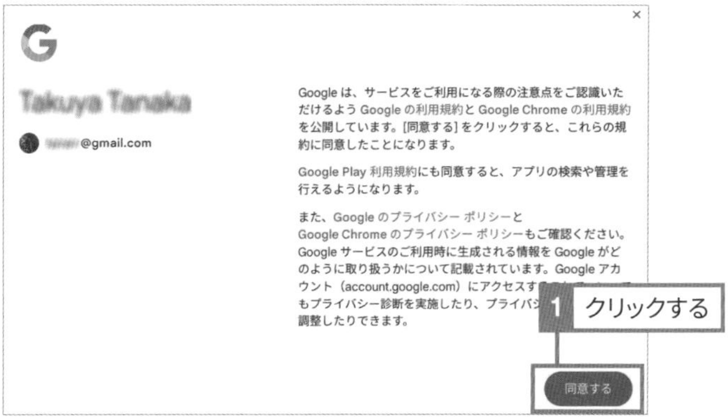

8 アカウントが追加される

アカウントが追加されました。

コラム

アプリ版とWeb版はそれぞれで切り替えが必要

Chromeブラウザでアカウントを切り替えても、新しいタブを開くと、最初にログインしていたアカウントで開きます。また、ランチャーやシェルフから起動したアプリで、最後に使ったアカウントを記憶しているものもあるので、そのつど切り替えが必要です。

Chromeでプロフィールを切り替える

1 アカウントをクリックする

トップ画面で右上にあるアカウントをクリックして、切り替えたいアカウントをクリックします。

2 アカウントが切り替わる

アカウントが切り替わりました。Googleアプリのメニューを表示して、「Gmail」をクリックしてみます。

3 別のアカウントでGmailが表示される

切り替えたアカウントの受信トレイが表示されました。

section 04 ファミリーリンクでできること

Chromebookには子供向けのアカウントを追加する機能があります。Chromebookを子供に貸し与える際、不適切なコンテンツが表示されることや、使いすぎを心配する保護者の方は多いでしょう。ここでは子供がChromebookを使うときにできることを見ていきます。

子供のアカウントを管理する「ファミリーリンク」でできること

子供のアカウントを追加するとき、子供が13歳未満の場合、「ファミリーリンク」を利用してChromebookを管理できます。子供用のアカウントでGoogleの各種サービスを利用しながら、保護者がアカウントの利用に制限をかける仕組みです。ファミリーリンクでできるのは次のようなことです。

● コンテンツフィルタをかける

ブラウザやYouTubeなどで表示するコンテンツをコントロールするのが、「コンテンツフィルタ」です。子供の年齢にあわない不適切な表現を除外します。ただし、コンテンツフィルタは完全ではなく、フィルタをすり抜けて表示されるコンテンツがあることも留意しておく必要があります。

● アプリのアクティビティを表示できる

Chromebookのアクティビティを記録して、画面に表示します。利用したアプリや時間はグラフを見れば一目瞭然です。また特定のアプリをブロックすることや、リモート操作でChromebookを強制ロックすることも可能です。

● Chromebookの使用時間やおやすみ時間を設定できる

Chromebookを使用する1日の利用時間の上限を設定できます。平日は1日1時間、土日は3時間といったように、生活にあわせて曜日ごとに細かく設定できます。また「おやすみ時間」を設定すると、指定した時間帯でChromebookをロックします。こちらも曜日ごとに設定可能です。

● アプリのインストールを承認できる

Playストアからアプリをインストールする際に、保護者の承認が必要になります。保護者アカウントのパスワードを入力するか、またはリクエストを送信して承認を得る必要があり、高額なアプリやアプリ内課金に制限を加えることができます。

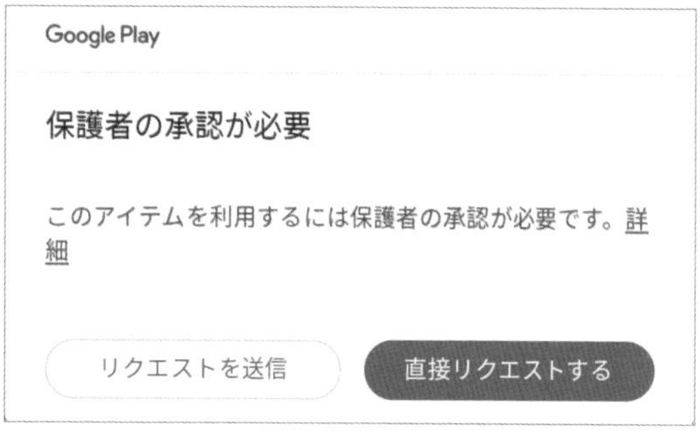

子供用アカウントを追加する

子供用のアカウントはログイン画面で追加します。Chromebookから一度ログアウトして、「ユーザーを追加」をクリックしたあと、追加するユーザーに「お子様」を選択し、Chromebookを子供用に設定します。すでにあるGoogleアカウントでログインするか、新しいアカウントを作成できます。なお13歳未満の子供の場合は、保護者のメールアドレスを入力して保護者とリンクする必要があります。画面の指示に従ってアカウントの登録をすませてください。

保護者のデバイスを準備

子供のアカウントを管理するには、保護者のアカウントでChromebookにログインし、設定からファミリーリンクを設定します。Android端末をもっている場合は、Playストアでファミリーリンクアプリをインストールして、スマートフォンから管理することが可能です。

コラム

子供の年齢が13歳になったら

13歳歳未満の子供用アカウントは、保護者の管理下に置かれますが、13歳になると自分でアカウントを管理できます。その際、ファミリーリンクによる管理から外れる、継続するかを自分で選べるようになります。

section 05

ファミリーリンクを設定する方法を知ろう

子供のアカウントを追加したら、ファミリーリンクを設定します。保護者アカウントでChromebookにログインし直すか、またはスマートフォンなどのAndroid端末から設定できます。ここでは利用時間の上限を設定してみます。

Chromebookの使用時間を制限する

この操作は保護者アカウントでログインした状態で行います。「ファミリーリンク」アプリがインストールされていない場合は、Playストアで手に入れてください。

1 ファミリーリンクを起動する

ファミリーリンクアプリを起動します。画面の指示に従って、子供のアカウントを追加します。

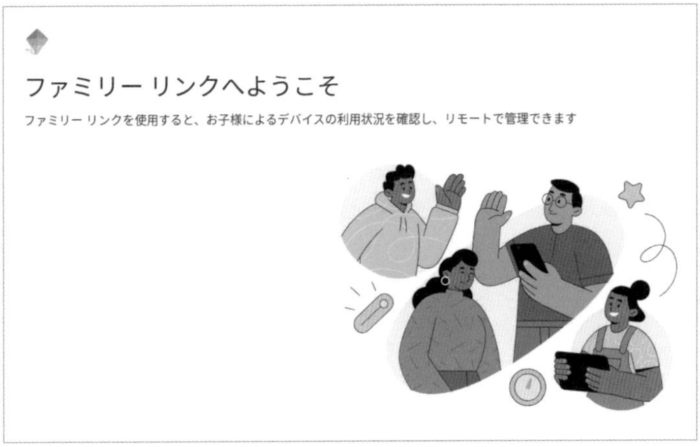

2 アアカウント情報が表示される

子供のアカウントが表示されたら利用時間の設定を行います。「今日の利用時間の条件」をクリックします。

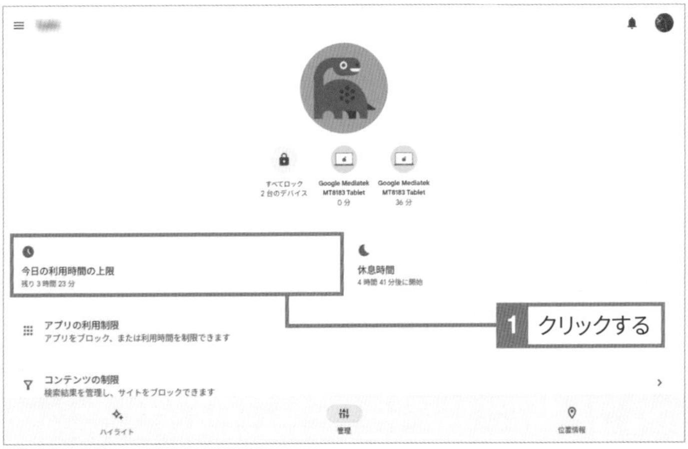

3 利用時間を設定する

1週間のスケジュールが表示されます。曜日ごとに利用時間を設定します。設定が終わったら画面左上の矢印をクリックし、前の画面に戻ります。

MEMO 設定した内容をほかの曜日に適用したい場合は、「他の曜日にも適用」をクリックします。

4 休息時間を設定する

利用時間の隣にある「休息時間」をクリックします。曜日ごとにロック時間とロック解除時間を設定できます。

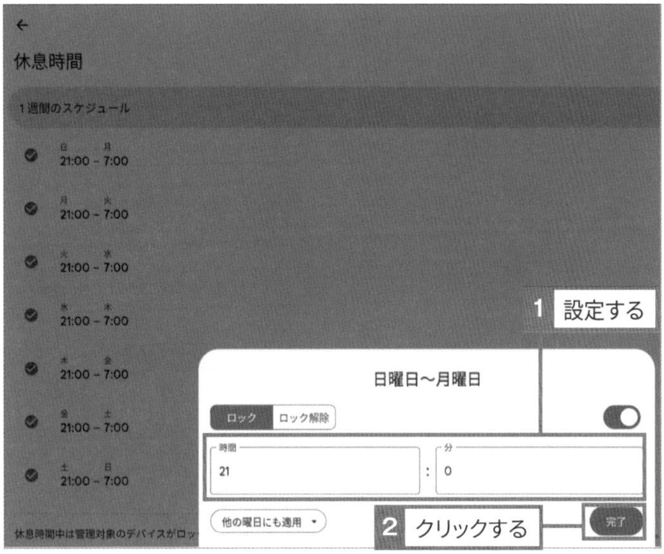

コラム

スマートフォンから管理する

Androidスマートフォンを使っているなら、ファミリーリンクアプリをインストールしてスマホからChromebookを管理できます。アプリの中身や使い方は、Chromebookから利用できるものと同じです。Chromebook端末の利用状況や位置情報を確認したり、アカウントを管理したりできます。

section 06

Webサイトやコンテンツを制御する方法を知ろう

　不適切な表現や情報に接してしまう危険を減らすため、コンテンツフィルタを設定します。露骨な表現を含むWebサイトや成人向けコンテンツを含む動画などが表示されないように、設定を確認していきましょう。

コンテンツフィルタを設定する

1 ファミリーリンクを起動する

ファミリーリンクアプリを起動し、「コンテンツの制限」をクリックします。

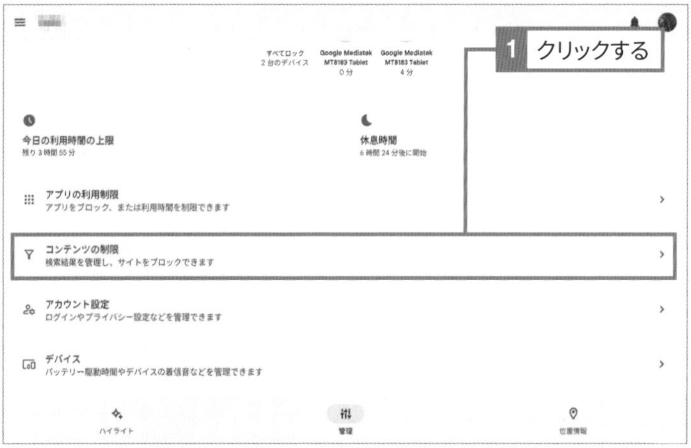

2 「Google Chrome」をクリックする

コンテンツフィルタの一覧が表示されるので、「Google Chrome」をクリックします。

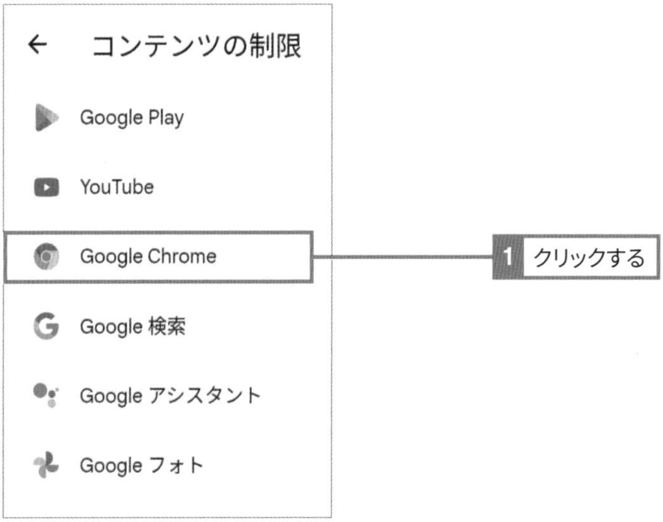

MEMO

アプリのインストールを許可する場合は、「Google Play」もチェックしておきましょう。Playストアで検索できるコンテンツを年齢で制限できます。

3 ウェブサイトをブロックする

「露骨な表現を含むサイトを可能な限りブロックする」が選択されていればOKです。左上の「←」をクリックすれば元の画面に戻ります。

> MEMO 表示するWebサイトを限定したい場合は、「承認済みのサイトのみ許可する」を選択して、「サイトを管理」にWebサイトのURLを登録します。

4 セーフサーチを設定する

手順2の画面に戻ったら「Google」検索をクリックします。ここでは検索結果に表示するコンテンツを制御します。「フィルタ」を選択することで、性表現など不適切な検索結果が減ります。

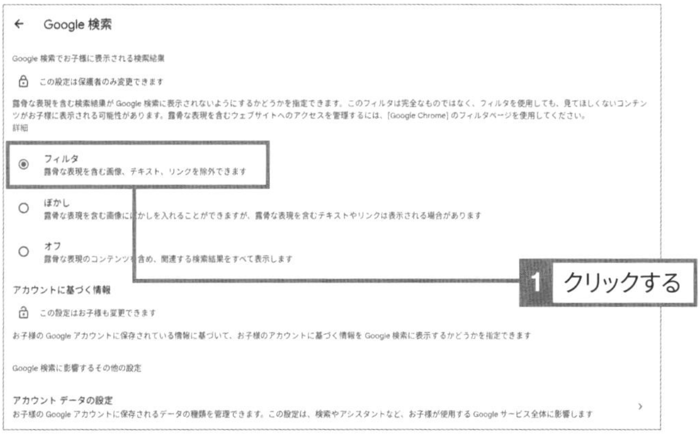

コラム YouTubeの不適切な動画を制御する

クリックするだけで世界中の動画を再生できるYouTubeは、より慎重な制御が必要です。手順2の画面で「YouTube」をクリックすると、8歳未満なら「YouTube Kids」、9歳～12歳や13歳以上なら、より広範囲の動画というように、年齢で表示するコンテンツを制御できます。YouTube自体をブロックすることも可能です。家庭内の方針やルールにあわせて設定しておくことをオススメします。

(左) YouTubeの設定を選択。年齢別に表示するコンテンツを制御できる
(右) 設定はいつでも変更可能

section 07

追加したアカウントを削除する方法を知ろう

あとから追加したアカウントが不要になったら、削除します。「設定」から削除する場合と、ログイン画面から削除する場合があるので、間違えないように操作してください。なお管理者ユーザー（最初に登録したユーザー）は削除できません。

プロフィールアカウントを削除する

1 アカウントを表示する

「設定」を開いて「アカウント」→「現在、（ユーザー名）としてログインしています」をクリックします。

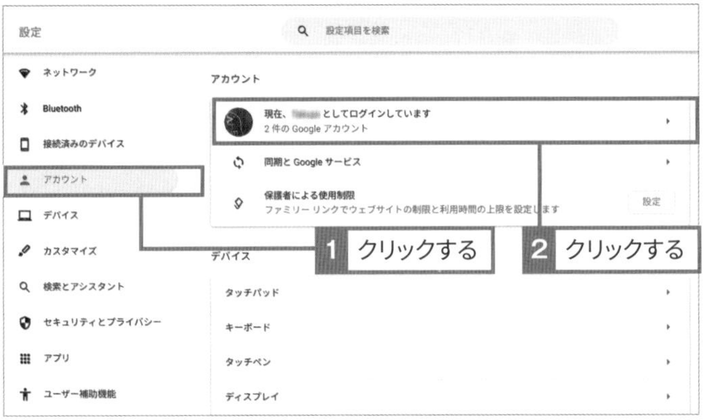

2 アカウントを削除する

縦の3点リーダーをクリックし「このアカウントを削除」をクリックします。

MEMO 管理者を変更したい場合は、Chromebookの初期化（P.190）を行う必要があります。

コラム

ログインするアカウントを削除する

Chromebookのログイン画面でユーザー名の横にある「▼」をクリックし、「アカウントを削除」をクリックします。

8

Chromebookを賢く使いこなそう
―カスタマイズ編―

section 01

Chromebookの壁紙やスクリーンセーバーを変更しよう

Chromebookには個性的な壁紙がたくさん用意されています。好きな壁紙を表示して気分転換してみましょう。またディスプレイを常に点灯しておきたい人は、スクリーンセーバーをオンにしましょう。写真や時刻、天気などを画面で確認できます。

壁紙を変更する

1 「壁紙とスタイルの設定」を開く

ランチャーや時刻のアイコンから「設定」を開きます。「カスタマイズ」にある「壁紙とスタイルを設定」をクリックします。

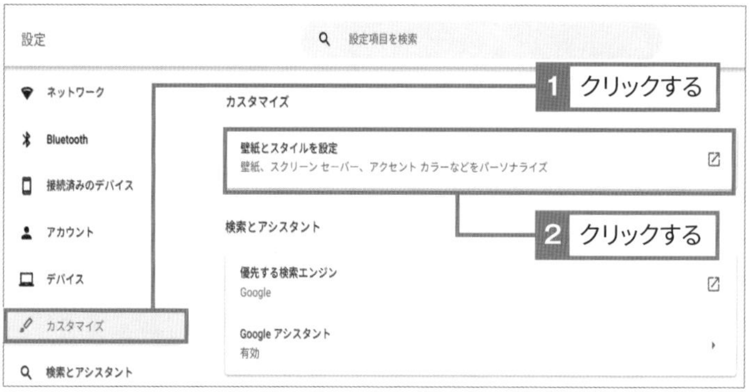

2 「壁紙」をクリック

現在設定されている壁紙とスクリーンセーバーが表示されます。「壁紙」をクリックします。

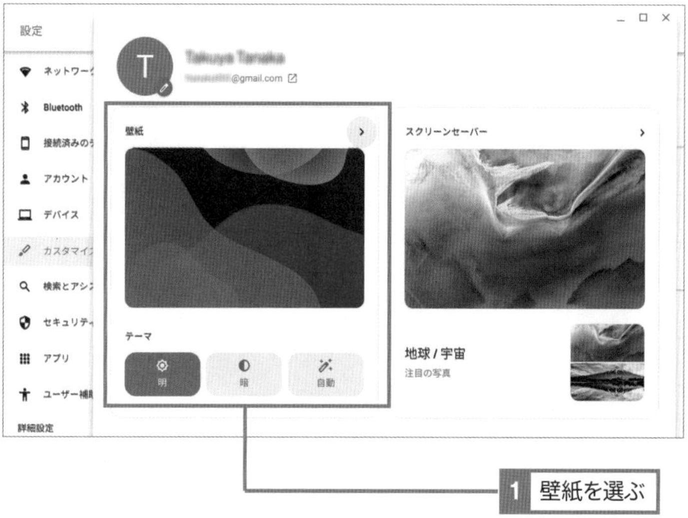

3 壁紙を選ぶ

一覧からジャンルを選んで、好きな壁紙をクリックします。「毎日変更」のスイッチをオンにすると、壁紙が日替わりで変化します。

MEMO オリジナルの壁紙を使いたいときは、「自分の画像」や「Googleフォト」を開いて端末やオンラインにある画像を選べます。

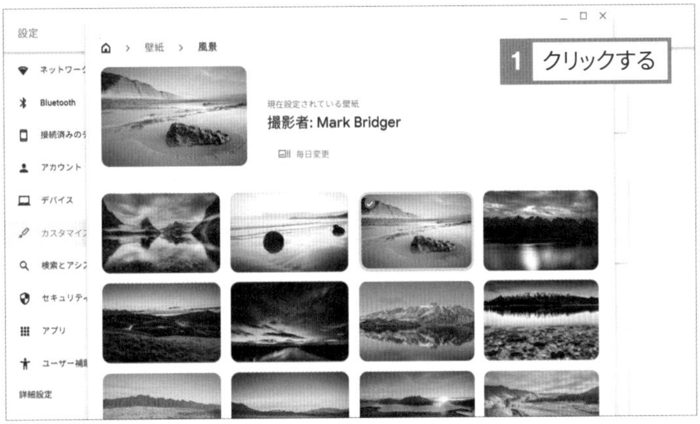

4 壁紙が表示される

「X」をクリックすると設定画面に戻ります。設定画面を閉じて壁紙を表示します。

MEMO 機種によってはデフォルトの壁紙に戻せないことがありますので注意してください。

壁紙が表示される

コラム

スクリーンセーバーを利用する

手順2の画面でスクリーンセーバーがオフになっていた場合は、「オンにする」をクリックしましょう。スクリーンセーバーが有効になり、アニメーションを選ぶことができます。スクリーンセーバーを有効にするとChromebook充電中もディスプレイがオンになり、スリープ状態にならなくなります。

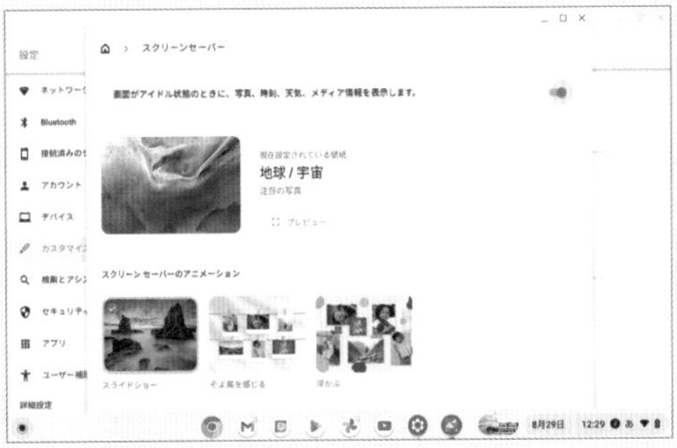

section 02

Chromebookのアイコンや文字のサイズを変更しよう

Chromebookのディスプレイは10インチからあり、サイズも解像度もさまざまです。一度に表示する情報量を増やしたい場合は表示サイズを小さくし、逆に見やすくしたい場合は表示サイズを大きくするなどカスタマイズできます。

ディスプレイの表示サイズを変更する

1 「ディスプレイ」の設定を開く

「設定」画面を開いて「デバイス」にある「ディスプレイ」を開きます。

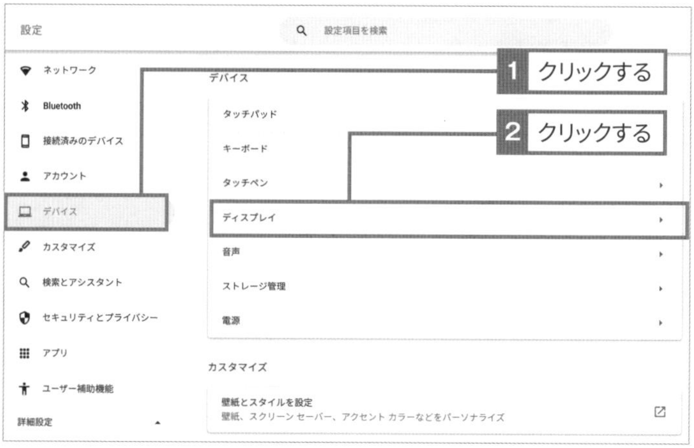

2 表示サイズを縮小する

表示サイズを変更します。スライダを左にドラッグすると文字サイズが小さくなります。画面は80%にしたサイズで、表示できる情報量が増えました。

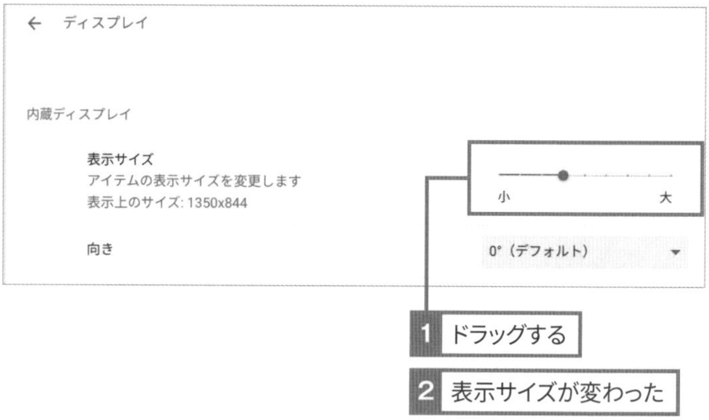

MEMO
ディスプレイの設定を変更すると、すべてのウィンドウに影響がおよびます。

3 表示サイズを拡大する

表示サイズを変更します。スライダを右にドラッグすると文字サイズが大きくなります。画面は130%にした場合です。窮屈に感じますが、文字は読みやすくなります。

Chromeで見ているページのサイズを変更する

1 「Google Chromeの設定」をクリック

「Google Chromeの設定」アイコンをクリックします。ズームの横にある「−」（または「＋」）をクリックします。

MEMO 見ているウェブページのサイズだけを変更したいときに便利な方法です。

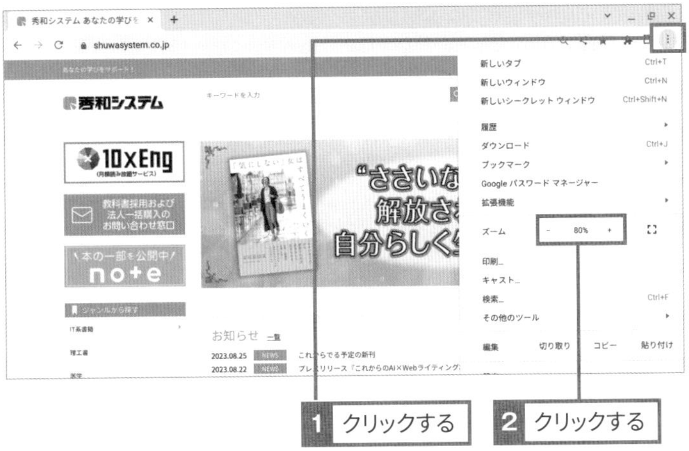

2 ズーム倍率を変更する

表示サイズが変更されます。ちょうどよいサイズになるまでボタンをクリックします。

MEMO 25%～500%まで調整できます。「Ctrl」+「-」キー（または「Ctrl」+「^」キー）のショートカットキーを押しても同じ操作が行えます。

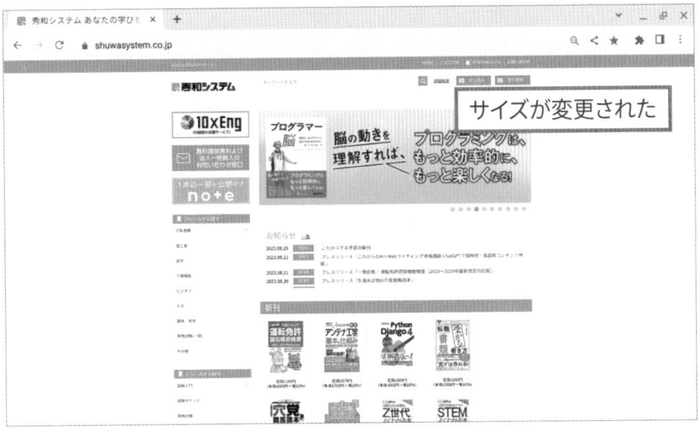

section 03

Chromebookの画面を目に優しく変えよう

照明の落ち着いた部屋でディスプレイを見ると目が痛くなりがちです。そんなときは夜間モードにすると、ディスプレイの明るさを落とさず見やすくなります。睡眠の妨げになるともいわれるブルーライトがカットされ、目への負担も小さくなります。

「夜間モード」をオンにする

1 「ディスプレイ」の設定を開く

「設定」画面を開いて、「デバイス」にある「ディスプレイ」をクリックします。

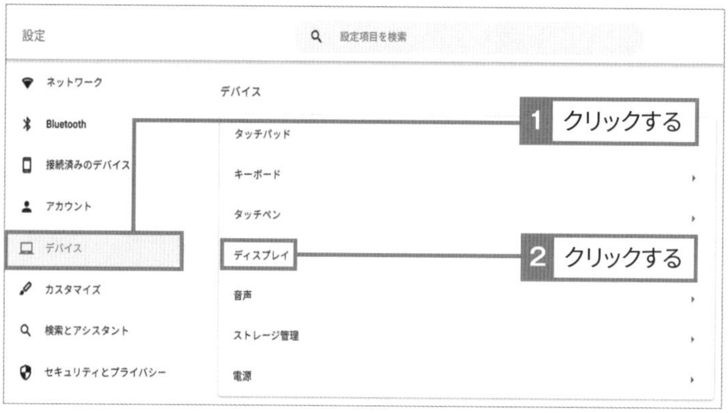

2 「夜間モード」をオンにする

「夜間モード」にある「夜間モード」をオンにすると、ディスプレイの色味が黄身がかかった暖色系の色になります。

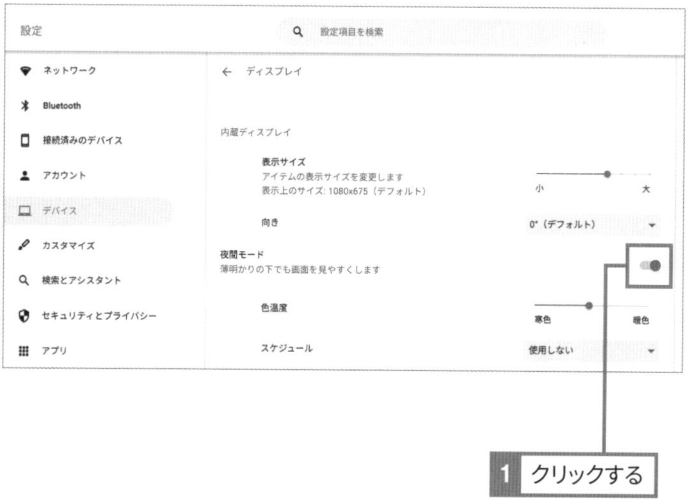

MEMO
色温度は調整できます。スライダを左右にドラッグして、ちょうどよい色味に調整しましょう。

夜間モードを自動で切り替える

1 スケジュールを有効にする

「夜間モード」の「スケジュール」を変更します。「日の入りから日の出まで」または「カスタム」のいずれかを選びます。

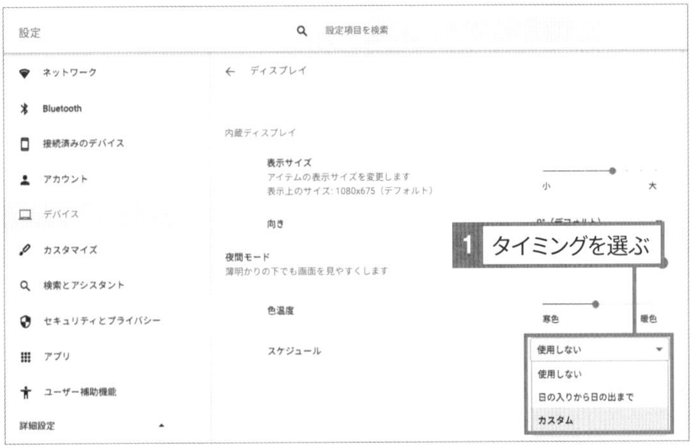

2 スケジュールを設定する

「カスタム」を選んだ画面です。スライダをドラッグして、夜間モードの開始時間と終了時間を設定します。1分単位で指定したいときはカーソルキーを使うと便利です。

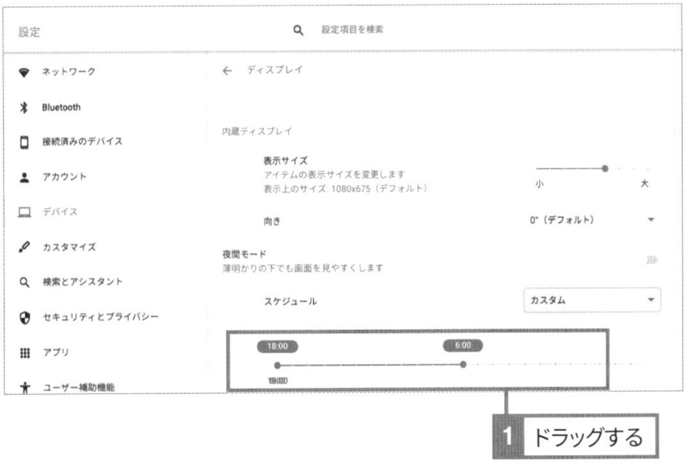

MEMO

「日の入りから日の出まで」を選んだ場合、日の入りと日の出の時刻を毎日計算し、日の入りの時刻になると自動でオンになります。

コラム

画面の明るさを変更するには

薄暗い環境では画面の明るさを落としたほうが目に優しくなります。画面の明るさは、キーボードの明るさ調整ボタンを押すか、または画面の時刻をクリックして明るさのスライダをドラッグします。

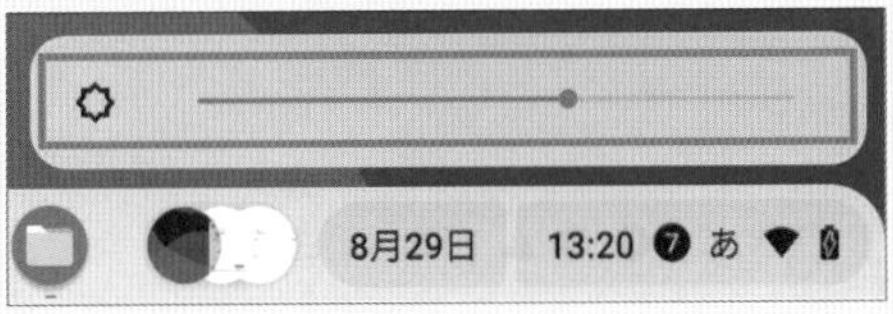

キーボードから明るさを調節する

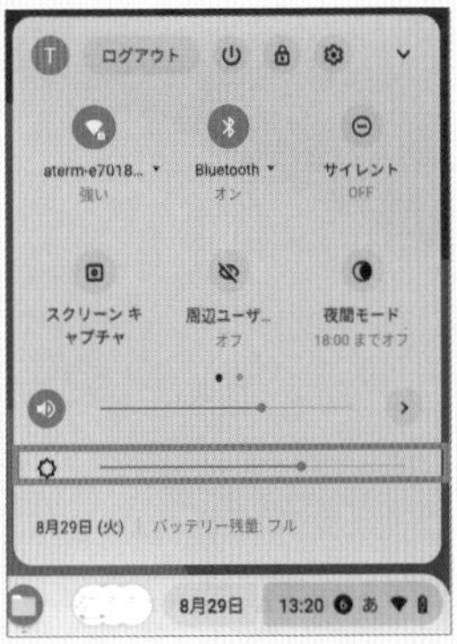

時刻をクリックしても調節できる

section 04

スマホと連携できるようにしよう

Android スマートフォンを Chromebook に接続すると、ファイルやインターネット接続を共有したり、スマートフォンから Chromebook のロックを解除したり、さまざまな連携が可能です。両方利用しているなら、設定しておくと便利です。

スマホの連携機能を設定する

1 使いたい機能をオンにする

「設定」を開いて、「接続済みデバイス」にある Android スマートフォンをクリックします。機能ごとにオンオフを切り替えることができます。

利用できる機能

● Smart Lock

スマートフォンをワイヤレスキーとして使う機能。Chromebook のロックを解除できる。

● インスタント テザリング

接続できる Wi-Fi がないときに、スマートフォンを通じてモバイル通信できるようになります。

● スマートフォンハブ（Phone Hub）

バッテリーの確認やスマホに届く通知やメッセージを Chromebook から確認できます。スマホで撮影した写真や最近使ったタブなどへもすばやくアクセスできます。

● Wi-Fi 同期

スマートフォンを Wi-Fi に接続するだけで、Chromebook はスマートフォンと同じ Wi-Fi にパスワード入力なしで接続できます

テザリングを利用する

1 「インスタントテザリング」をクリックする

接続ずみのデバイスでスマートフォンを選択し、「インスタントテザリング」をクリックします。

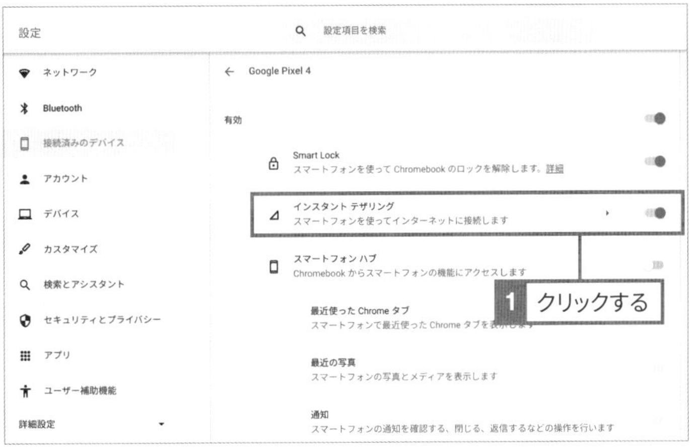

2 スマートフォンをクリックする

リンクされているスマートフォンが表示されるので、クリックします。

3 「接続」をクリック

「新しいアクセスポイントに接続しますか？」が表示されます。「接続」をクリックします。Android端末に接続し、インターネットを利用できるようになります。

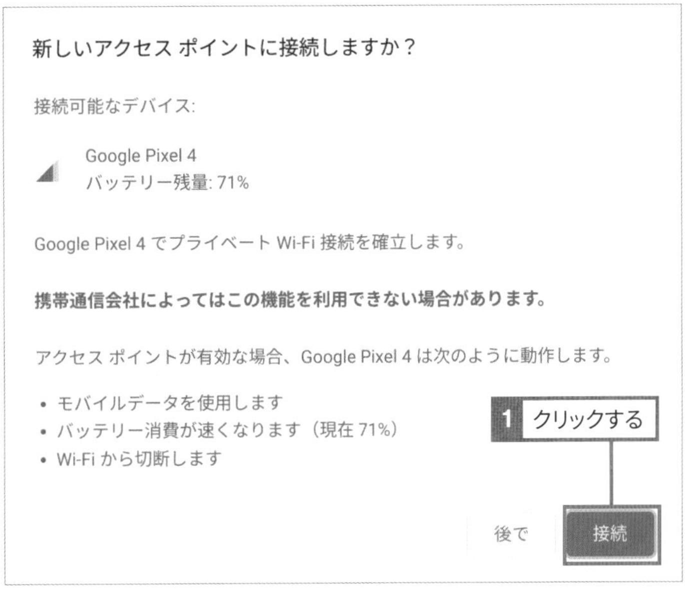

MEMO 終了するときは「切断」をクリックします。

スマートフォンハブを表示する

① スマートフォンハブをクリック

画面右下にあるスマートフォンハブのアイコンをクリックし、「始める」をクリックします。

MEMO スマートフォンのBluetoothをオンにして、近くに用意しておきます。

② スマートフォンハブが表示される

接続が完了すると、テザリングやサイレントモードのオンオフをリモートで操作できるようになります。

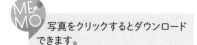

MEMO 写真をクリックするとダウンロードできます。

スマートフォンでロックを解除する

① スマートフォンでロックを解除する

ログイン画面が表示された状態で、スマートフォンのロックを解除します。

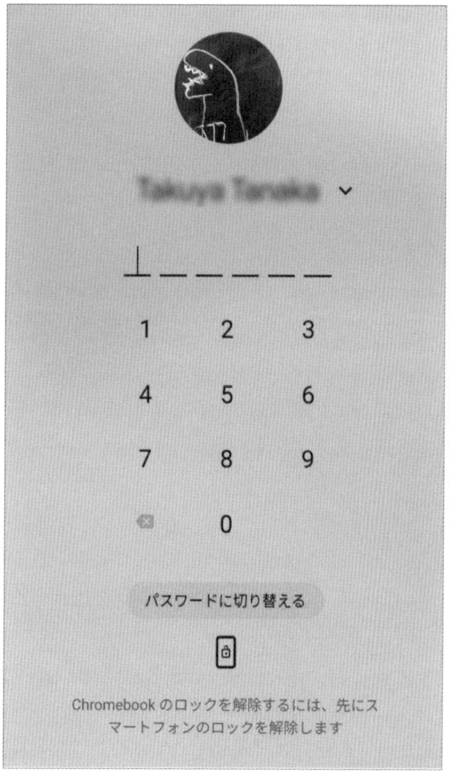
1 2 3
4 5 6
7 8 9
0
パスワードに切り替える
Chromebook のロックを解除するには、先にスマートフォンのロックを解除します

② 画面をクリックする

画面が切り替わります。画面をタップするとデスクトップにします。

スマートフォンからロックを解除しました。タップまたはクリックで Chromebook を開きます。
1 クリックする

section 05

音声入力でChatGPTを利用できるようにしよう

ChatGPTは便利ですが、プロンプトをキーボードから入力するのが手間に感じることがあります。そこで試したいのが音声入力です。ここではChromeブラウザの拡張機能「Voice Control for ChatGPT」を利用する方法を紹介します。

プロンプトを音声入力する

あらかじめ「Voice Control for ChatGPT」をインストールしておきます。

1 ChatGPTを表示する

拡張機能をクリックして「ChatGPT」をクリックします。ChatGPTのWebサイトが表示されるので、ログインします。

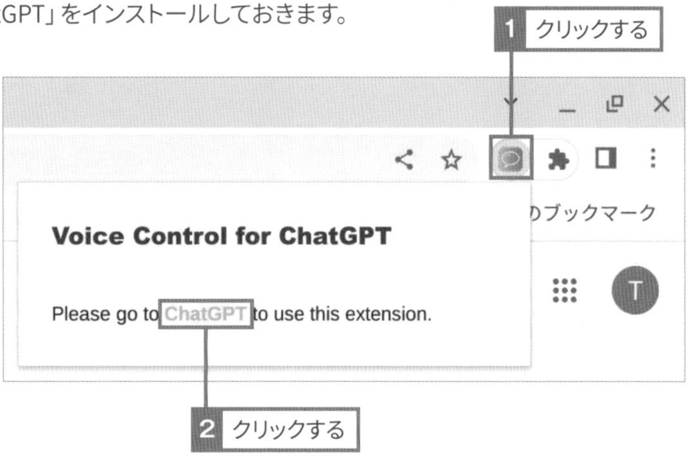

MEMO

ChatGPTを初めて利用するときは「Sign Up」をクリックして登録してください。

2 日本語に切り替える

言語を変更します。「English (US)」をクリックして「日本語」に変更します。続けて、マイクボタンをクリックする。

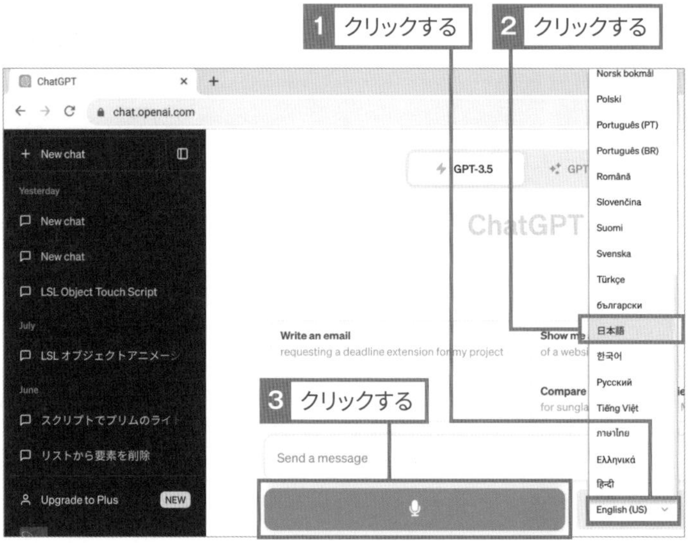

③ マイクへのアクセスを許可する

初回のみマイクへのアクセスを許可する必要があります。

ChatGPT
chat.openai.com
New chat
Yesterday
New chat
...nai.com が次の許可を求めています
マイクを使用する
ブロック
許可する

1 クリックする

④ 音声で入力する

音声を入力します。マイクボタンをクリックして入力を確定します。

MEMO スペースキーを押しても確定されます。Escキーを押すと入力をキャンセルできます。

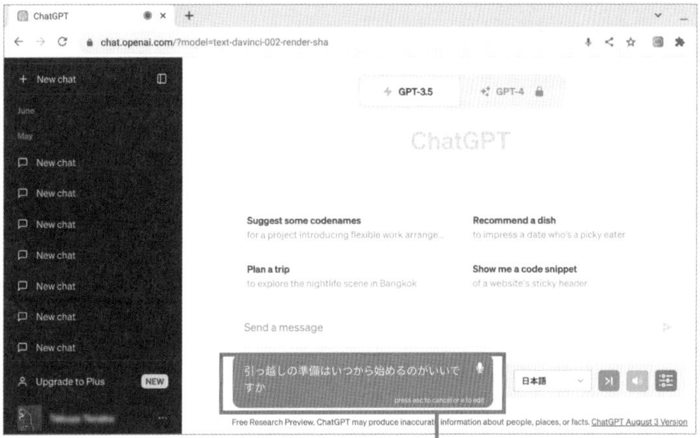
ChatGPT
chat.openai.com/?model=text-davinci-002-render-sha
New chat
GPT-3.5
GPT-4
ChatGPT
Suggest some codenames
for a project introducing flexible work arrange...
Recommend a dish
to impress a date who's a picky eater
Plan a trip
to explore the nightlife scene in Bangkok
Show me a code snippet
of a website's sticky header
Send a message
引っ越しの準備はいつから始めるのがいいです
すか
Upgrade to Plus
NEW
日本語
Free Research Preview. ChatGPT may produce inaccurate information about people, places, or facts. ChatGPT August 3 Version

入力した内容が表示される

⑤ 音声で読み上げてくれる

回答が表示され、音声で読み上げてくれます。

MEMO 「Skip read aloud」で読み上げをキャンセルできます。ミュートや音声の読み上げ速度の変更も可能です。

ChatGPT
chat.openai.com/?model=text-davinci-002-render-sha
New chat
Default (GPT-3.5)
引っ越しの準備はいつから始めるのがいいですか
引っ越しの準備は、できるだけ早めに始めることをおすすめします。具体的なタイミングは、引っ越しの規模や複雑さ、個人のスケジュールによって異なりますが、以下の一般的なガイドラインを参考にしてみてください。
1. 2ヶ月前から：引っ越しの計画を立て始めましょう。新しい住居の選定や賃貸契約、住所変更の手続き、引っ越し業者の選定など
討します。
Stop generating
Send a message
Upgrade to Plus
NEW
日本語
Free Research Preview. ChatGPT may produce inaccurate information about people, places, or facts. ChatGPT August 3 Version

回答が表示された

section 06

Chromebookのタッチパッドを使いやすくしよう

　Chromebookで最初に気になるのは、タッチパッドのスクロールでしょう。タッチパネルと逆方向になっていて混乱を招きます。「逆スクロール」を有効にすれば、スクロールするときの操作がタッチパネルで同じになり、すっきりします。

逆スクロールを有効にする

1 「タッチパッド」の設定を開く

「設定」画面を開いて、「デバイス」にある「タッチパッド」をクリックします。

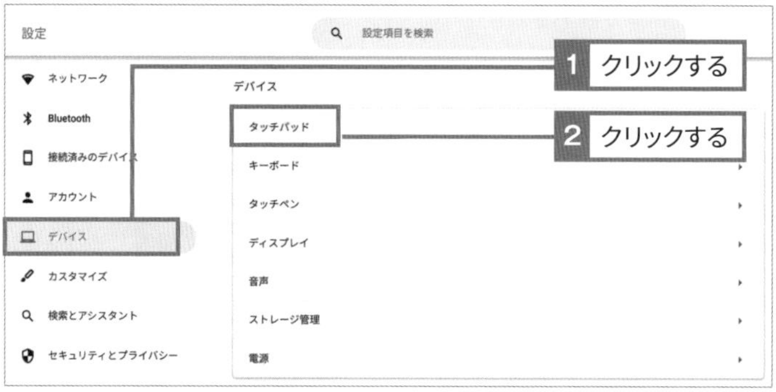

2 「逆スクロールを有効にする」をオンにする

「逆スクロールを有効にする」をオンにします。

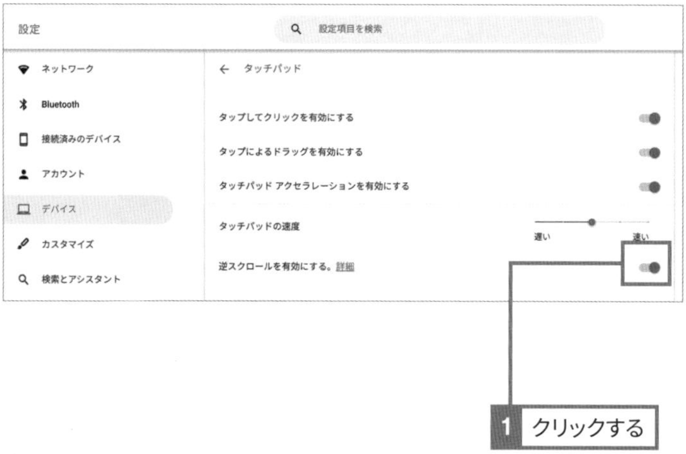

3 スクロールを確認する

Chromeなどで画面をスクロールします。タッチパネルを操作するときと同じで、二本指で上方向になぞると画面が下にスクロールします。

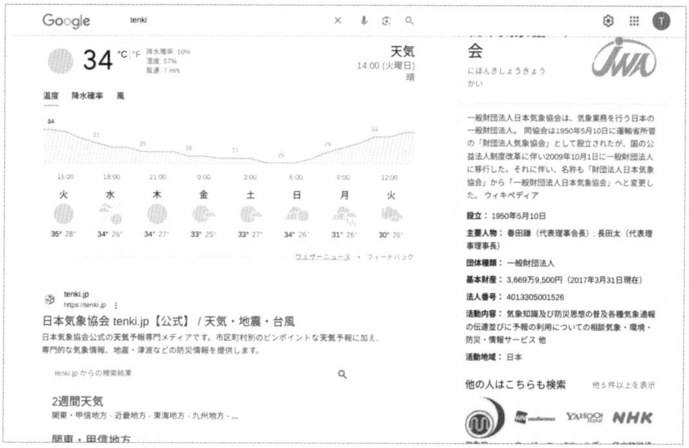

1 二本指でなぞる

タッチパッドのその他の設定

タッチパッドの設定画面では、「逆スクロール」のほかにも次のような項目があります。

❶ タップしてクリックを有効にする
タッチパッドをタップするとクリックと同じ操作になります。オフにすると、長押しがクリックと同じ操作になります。

❷ タップによるドラッグを有効にする
ダブルタップしたあと指を離さないでいると、ドラッグ操作ができます。クリックした指を離さずに操作する通常のドラッグ操作が使いにくい人にオススメです。

❸ タッチパッドアクセラレーションを有効にする
カーソルの移動距離を伸ばします。わずかな動きで画面の端から端までカーソルを動かせます。

❹ タッチパッドの速度
カーソルの移動速度を変更します。「遅い」から「速い」まで 5 段階で変更できます。

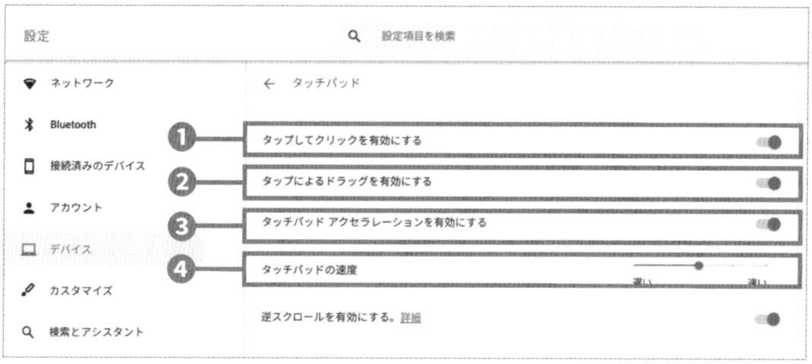

section 07 Chromebookのキーボードをカスタマイズしてみよう

Chromebookのキーボードには独自の「検索」キーがある代わりに、「Caps Lock」キーが存在しません。ファンクションキーも見当たりません。キーボードの設定をカスタマイズすれば、好みのスタイルにあわせることができます。

キーの割り当てを変更する

1 「設定」画面を開く

時刻のアイコンから「設定」画面を開きます。「デバイス」にある「キーボード」をクリックします。

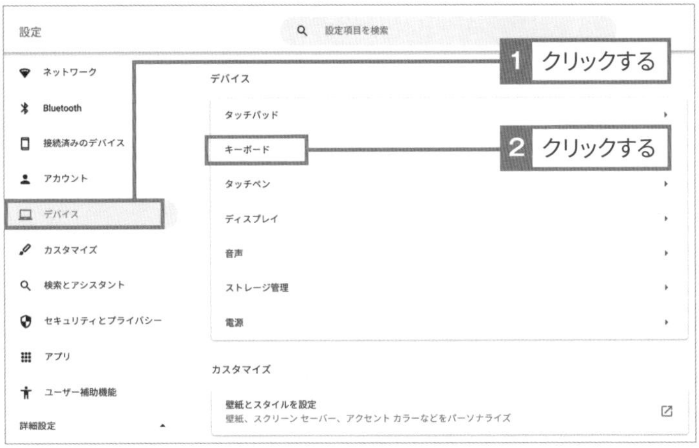

2 キーの割り当てを変更する

ここでは各キーの割り当てを変更できます。「Ctrl」キーと「Alt」キーを入れ替えたり、「検索」キーを「Caps Lock」キーとして使ったりできます。

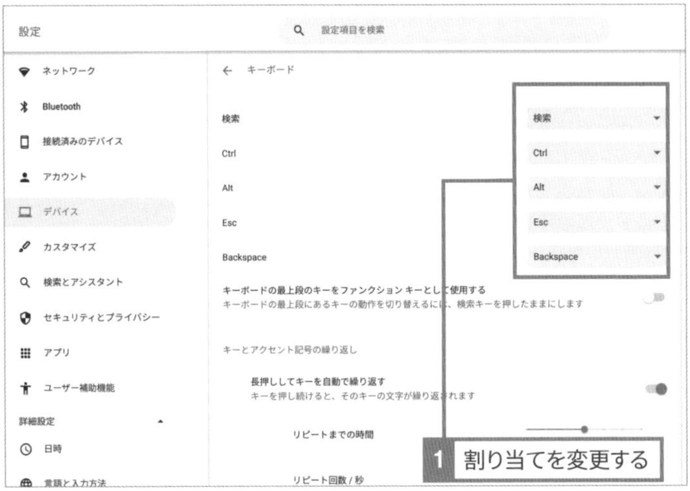

MEMO

Caps Lockは、アルファベットを常に大文字で入力できるモードです。通常は、「検索」+「Alt」キーでオンオフが切り替わります。

ファンクションキーを使用する

Chromebookのキーボード最上段は「F1」から「F10」のファンクションキーとしても使えます。普段は「検索」+「最上段のキー」を押して呼びだしますが、設定を変更することで検索キーを押さなくてもファンクションキーを使えるようになります。

1 ファンクションキーを使用する

「キーボード最上段のキーをファンクションキーとして使用する」をオンにします。

MEMO
この操作をした場合でも、「検索」+「最上段キー」で「進む」や「戻る」、「画面の明るさ」などChromebook固有の機能を呼びだせます。

ファンクションキーの機能

F1	ヘルプ（Chromebookへようこそ）を表示	F6	ひらがな変換
F2	セルの編集（Googleスプレッドシート）	F7	カナ変換
F3	検索	F8	半角カナ変換
F4	ー	F9	全角ローマ字変換
F5	更新	F10	半角ローマ字変換

コラム

キーボードショートカットを利用する

手順1の画面にある「キーボードショートカットの表示」をクリックすると、ChromeOSで利用できるキーボードショートカットが表示されます。よく使う操作のショートカットを覚えておくと、キーボードから指を離さずに操作できて便利です。

section 08

画面を撮影する方法を知ろう

Chromebookの操作画面を撮影したいときは、スクリーンショット機能を使います。全画面または、必要な範囲を選択して撮影できます。撮影した写真は、「ファイル」アプリを開いて「マイファイル」から確認可能です。

全画面を撮影する

1 「Ctrl」+「ウィンドウを表示」キーを押す

「Ctrl」キーを押しながら「ウィンドウを表示」キーを押します。

2 スクリーンショットが撮影される

撮影が完了すると通知が表示されます。クリックすると「ファイル」アプリが起動します。

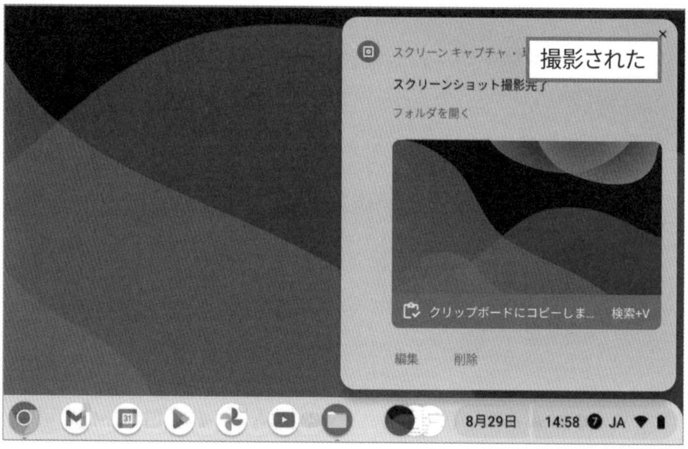

MEMO

通知はタッチ操作でスワイプするとすぐに非表示にできます。連続して撮影したいとき、通知が消えるのを待たずに撮影できます。

範囲を指定して撮影する

1 「スクリーンキャプチャ」をクリック

右下の時刻をクリックし「スクリーンキャプチャ」をクリックします。

MEMO 「Ctrl」キーと「Shift」キー、「すべてのウィンドウを表示」キーでもかまいません。

2 撮影範囲を指定する

撮影したい範囲をドラッグして囲みます。撮影が完了すると通知が表示されます。

MEMO ビデオカメラのアイコンをクリックすると動画を撮影することもできます。

撮影した写真や動画を見る

撮影した写真や動画は「ファイル」アプリに保存されます。画面右下にある「トート」やランチャーから「ファイル」を起動して、撮影した画像を表示、編集できます。

section 09 セキュリティの設定を変更しよう

ロックしたChromebookを解除するのに、パスワードを毎回入力するのは面倒です。PINなら、すばやくロック状態を解除できます。またスリープからの復帰にパスワード/PINを要求することで、セキュリティを強化できます。

PINを設定する

Chromebook設定時にPINを設定している場合は、この操作は不要です。

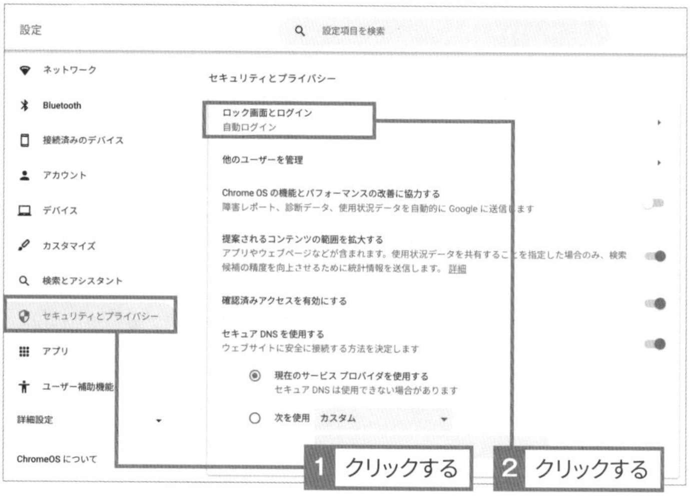

1 ロック画面とログインを開く

時刻のアイコンから「設定」を開いて、「セキュリティとプライバシー」にある「ロック画面とログイン」をクリックします。

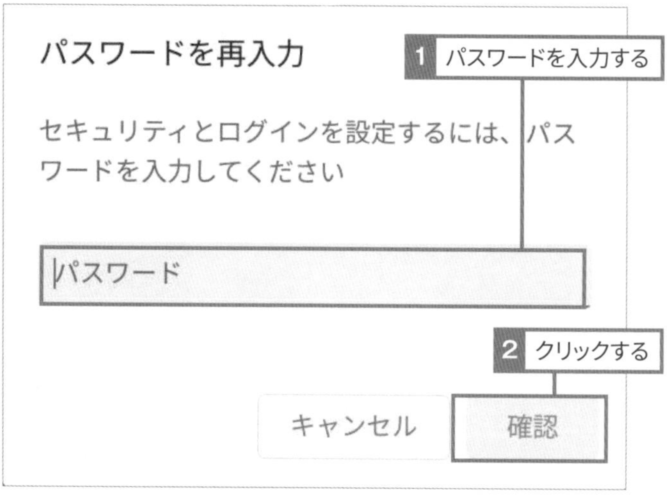

2 パスワードを入力する

Googleアカウントのパスワードを入力し「確認」をクリックします。

3 「PINを設定」をクリックする

「PINを設定」をクリックします。

MEMO PINを設定ずみの場合は、「PINを変更」ボタンになります。

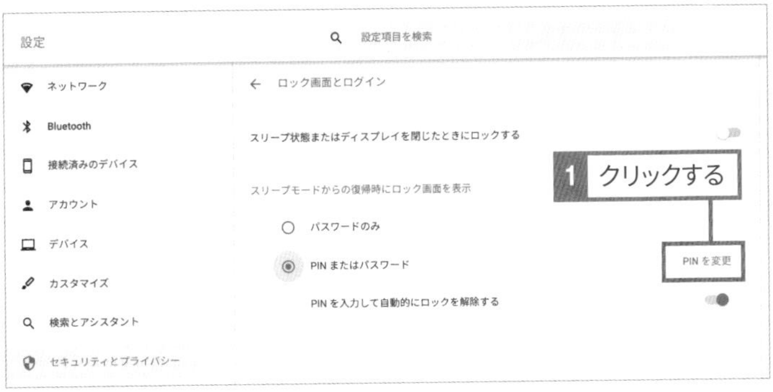

4 PINを入力する

6桁以上の番号を入力します。「111111」や「123456」など推測しやすい番号には注意が表示されます。「続行」をクリックしたあと、もう一度PINを入力し、設定を完了させます。

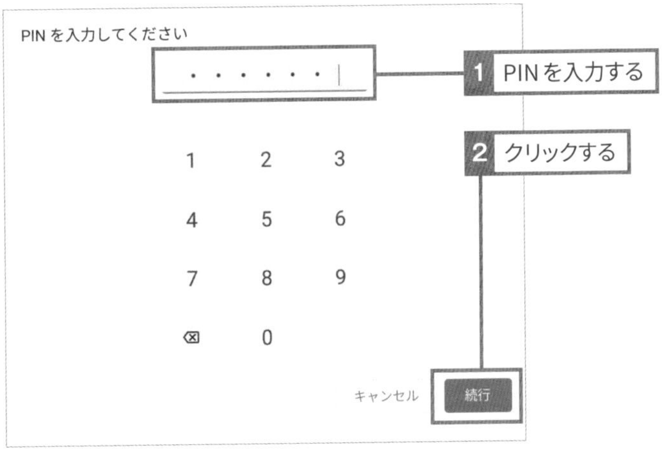

PINコードを入力してロックを解除する

1 PINコードを入力する

ロックの解除画面でPINを入力して、ロックを解除します。「パスワードへ切り替える」をクリックすれば、パスワードで解除することもできます。

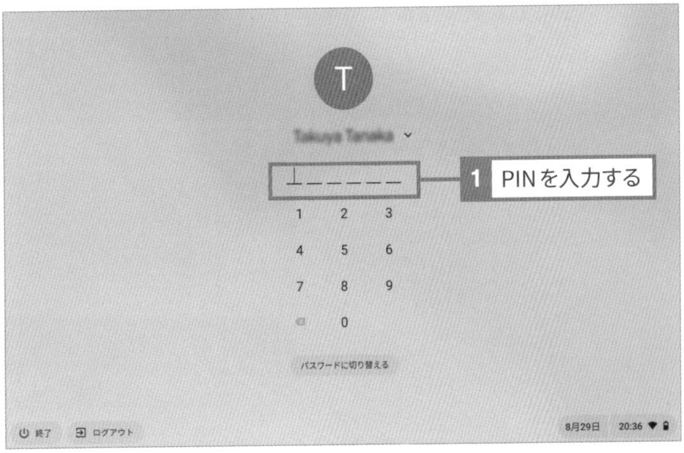

section 10
デスクを追加して作業スペースを広げる方法を知ろう

Chromebookではデスクを追加することで、複数の作業スペースを作成し、ウィンドウやタブを自由に移動できます。それぞれのデスクにウィンドウを表示しておけるので、マルチタスク的な使い方が可能になります。

デスクを追加する

1 デスクを追加する

Chromebookのキーボードにある「ウィンドウを表示」キーを押します。画面上部で「新しいデスク」をクリックします。

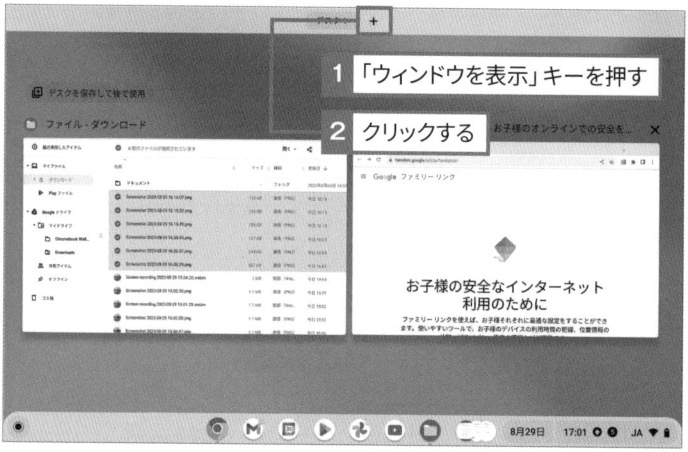

2 デスクに名前をつける

デスクに好きな名前をつけます。作成したデスクをクリックします。

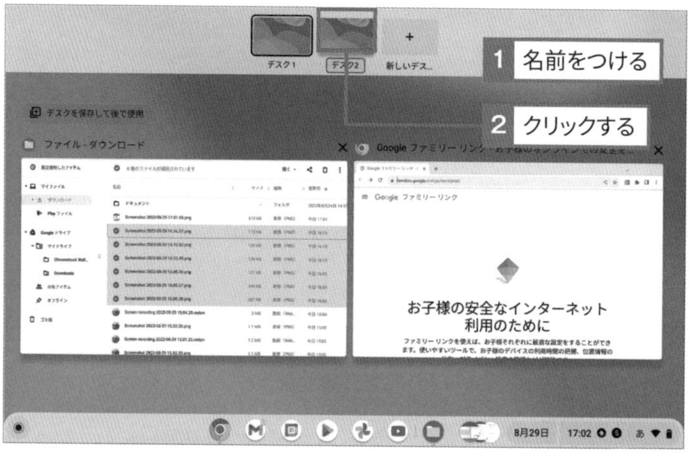

MEMO

不要になったデスクは、右上にある「X」をクリックして削除できます。

3 デスクを切り替える

デスクを選択すると、新しいデスクトップに切り替わります。元のデスクに戻るときは手順1の画面を表示して「デスク1」を選びます。

タブやウィンドウを別のデスクへ移動する

1 タブを移動する

タブの上で右クリックして「タブを別のウィンドウに移動」をクリック。移動先のタブを選択します。

MEMO あらかじめ移動先のデスクでもChromeブラウザを開いておく必要があります。

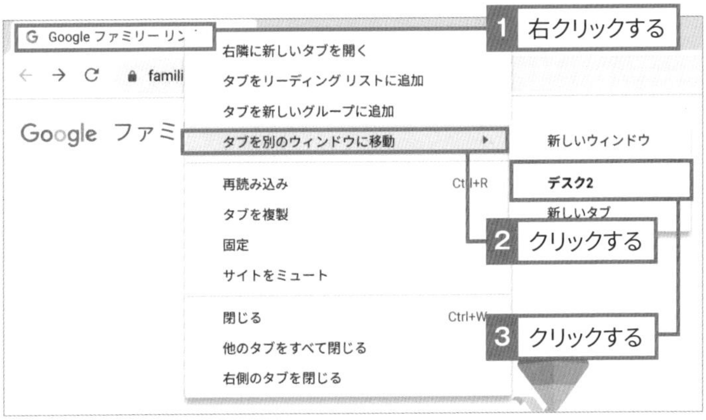

2 タブが移動した

「ウィンドウを表示」キーを押します。デスク2へタブが移動しているのがわかります。

MEMO 手順2の画面でウィンドウをドラッグすると、ウィンドウごと別のデスクへ移動できます。

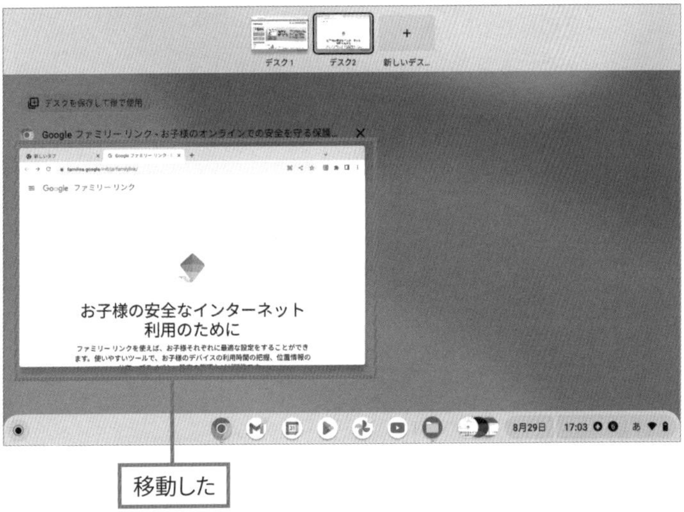

section 11

Chromebookの設定をリセットする方法を知ろう

Chromeブラウザの調子がよくないときは、まず再起動を試します。それでも調子が戻らないなら、設定をリセットすると改善されることがあります。またChromebookをほかのユーザーに譲渡するときなどは、Chromebookそのものを初期状態にリセットできます。

Chromeの設定をリセットする

1 「設定」を開く

「Google Chromeの設定」をクリックして、「設定」を選択します。

2 「設定のリセット」をクリックする

「設定のリセット」を開きます。「設定を元の既定値に戻す」をクリックします。

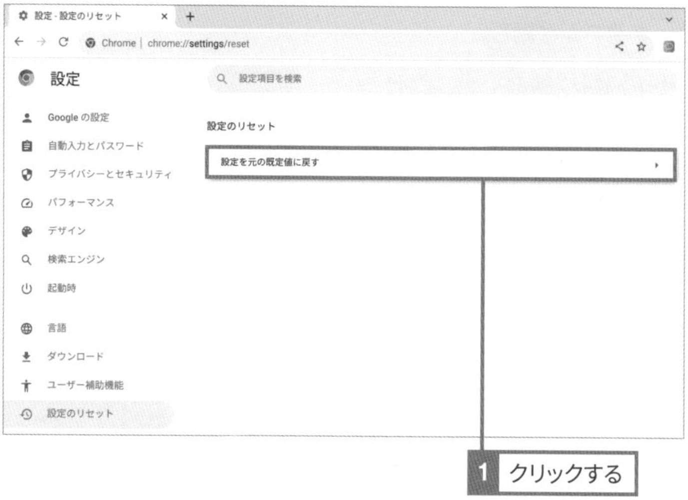

3 「設定のリセット」をクリックする

「設定のリセット」をクリックします。

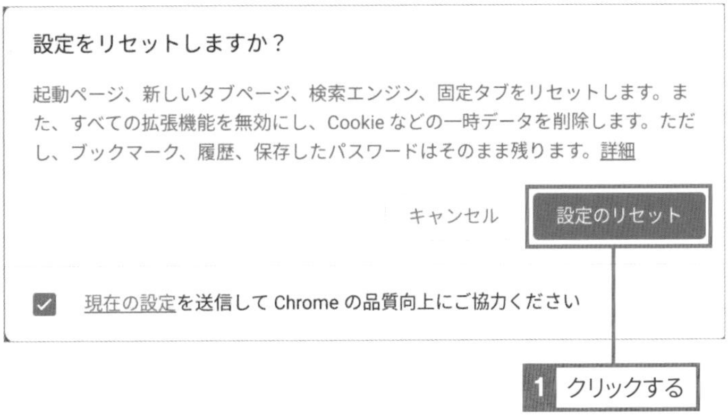

MEMO

Chromeの設定をリセットすると起動ページや新しいタブページ、検索エンジン、固定タブがリセットされます。また拡張機能が無効になり、Cookieなどのデータも削除されます。ただしブックマークや履歴、パスワードなどはそのまま残ります。

Chromebookを初期設定に戻す

1 設定を開く

画面右下の時刻をクリックし、「設定」を開きます。

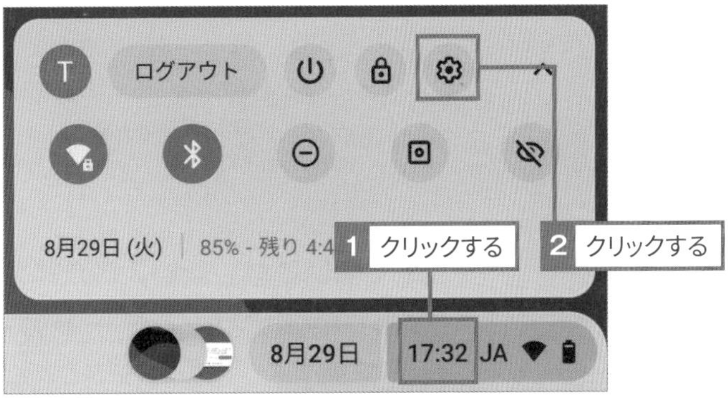

2 「リセット」をクリックする

「詳細設定」をクリックするとメニューが展開するので「設定のリセット」を開きます。「リセット」をクリックします。

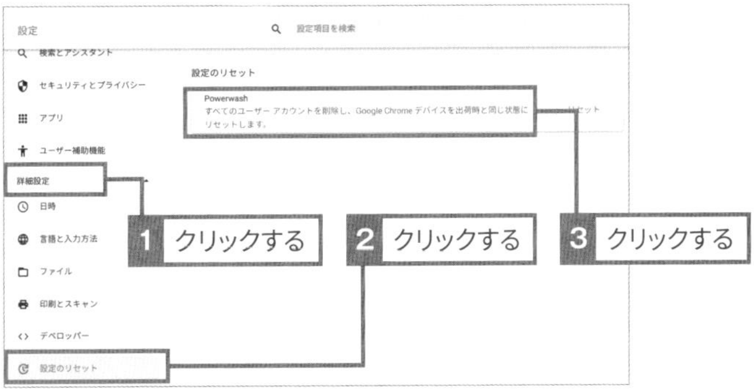

3 「再起動」をクリックする

「再起動」をクリックします。再起動後は画面の指示に従ってChromebookをリセットします。

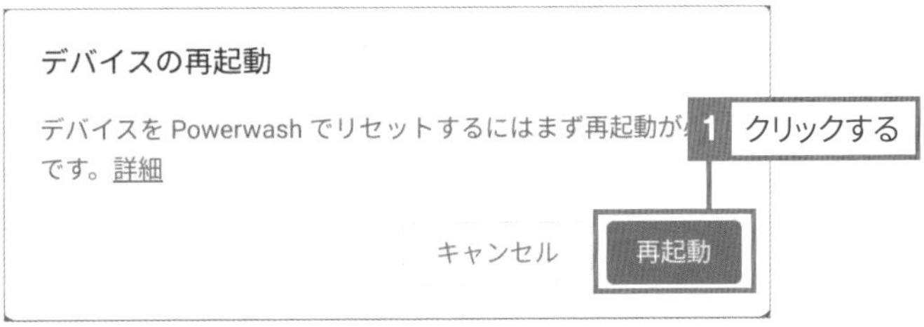

■ 著者略歴

田中 拓也（たなか たくや）

パソコン誌の編集を経てテクニカルライターとして独立。自然科学や最新のデジタル技術に関心が高い。現在はインターネット、IT、デジタル関連の雑誌や媒体への記事の寄稿、編集業務に携わる。『たった1秒の最強スキル パソコン仕事が10倍速くなる80の方法』や『LINE やりたいことが全部わかる本』（SBクリエイティブ）など著書多数。

●校正：小宮 紳一

●イラスト：箭内 祐士

●ブックデザイン・DTP：片倉 紗千恵

賢く使いこなしたい人のための
Chromebookスタートガイド
［第2版］

発行日　2023年11月20日　第1版第1刷

著　者　田中　拓也

発行者　斉藤　和邦

発行所　株式会社　秀和システム

〒135-0016

東京都江東区東陽2-4-2　新宮ビル2F

Tel 03-6264-3105（販売）Fax 03-6264-3094

印刷所　株式会社シナノ　Printed in Japan

ISBN978-4-7980-7105-3 C0055